U0719954

金陵全書

甲編·方志類·專志

金陵梵刹志（一）

（明）葛寅亮 撰

南京出版傳媒集團
南京出版社

圖書在版編目（CIP）數據

金陵梵剎志 /（明）葛寅亮撰. —南京：南京出版社，2013.7
（金陵全書）
ISBN 978-7-5533-0217-1

Ⅰ. ①金… Ⅱ. ①葛… Ⅲ. ①佛教—寺廟—史料—南京市 Ⅳ. ①B947.253.1

中國版本圖書館CIP數據核字（2013）第109354號

書　名　【金陵全書】（甲編·方志類·專志）
　　　　金陵梵剎志
編著者　（明）葛寅亮 撰
出版發行　南京出版傳媒集團
　　　　南 京 出 版 社
　　　　社址：南京市老虎橋18-1號　郵編：210018
　　　　網址：http://www.njcbs.com　淘寶網店：http://njpress.taobao.com
　　　　電子信箱：njcbs1988@163.com
　　　　聯系電話：025-83283871、83283864（營銷）　025-83283883（編務）

出版人　朱同芳
責任編輯　嚴行健　楊傳兵　劉芳源
裝幀設計　楊曉崗
責任印製　楊福彬

製　版　南京新華豐製版有限公司
印　刷　南京凱德印刷有限公司
開　本　889×1194毫米　1/16
印　張　119.25
版　次　2013年7月第1版
印　次　2013年7月第1次印刷
書　號　ISBN 978-7-5533-0217-1
定　價　3600.00元（全三册）

總序

南京，俗稱金陵，中國著名的四大古都之一，是國務院首批公佈的國家歷史文化名城。

南京有着六十萬年的人類活動史，近二千五百年的建城史，約四百五十年的建都史，享有『六朝古都』、『十朝都會』的美譽。南京歷史的興衰起伏在某種程度上可以説是中國歷史的一個縮影。在中華民族光輝燦爛的歷史長河中，古聖先賢在南京創造了舉世矚目、富有特色的六朝文化、南唐文化、明文化和民國文化，爲中華民族文化的傳承和發展作出了不朽貢獻。然而，由於時代的遞遷、戰争的破壞以及自然的損毁等原因，歷史上南京的輝煌成就以物質文化形態留存下來的相對較少，見諸文獻典籍的則相對較多。南京文獻内涵廣博，卷帙浩繁，版本複雜。截至一九四九年中華人民共和國成立，南京文獻留存下來的有近萬種，在全國歷史文化名城中名列前茅。以六朝《世説新語》、《文心雕龍》、《昭明文選》，唐朝《建康實録》，宋朝《景定建康志》、《六朝事迹編類》，元朝《至正金陵新志》，明朝《洪武京城圖志》、《金陵古今圖考》、《客座贅語》，清朝《康熙江寧府志》、《白下瑣言》，民國《首都計劃》、《首都志》、《金陵古蹟圖考》等爲代表的南京地方文獻，不僅是南京文化的集中體現，也是中華民族優秀傳統文化的重要組成部分。這些南京文獻，積澱貯存了歷代南京人民的經驗和智慧，翔實地反映了南京地區的社會變遷，是研究南京乃至全國政治、經濟、軍事、文化、外交和民風民俗的重要資料。

歷史上的南京文化輝煌燦爛，各類圖書典籍琳琅滿目。迄今爲止，南京文獻曾經有過三次不同程度的整理。

第一次是距今六百多年前的明朝永樂年間，明朝中央政府在南京組織整理出版了《永樂大典》。《永樂大典》正文二萬二千八百七十七卷，凡例和目録六十卷，分裝成一萬一千零九十五册，總字數約三億七千萬字。書中保存了中國上自先秦、下迄明初的各種典籍資料達七八千種，是中國古代最大的類書。

第二次是民國年間，南京通志館編印了一套《南京文獻》。《南京文獻》每月一期，從一九四七年元月至一九四九年二月共刊行了二十六期，收入南京地方文獻六十七種，包括元明清到民國各個時期的著作，其中收録的部分民國文獻今天已經成爲絶版。

第三次是二〇〇六年以來，南京出版社選取部分南京珍貴文獻，整理出版了一套《南京稀見文獻叢刊》點校本，到二〇一三年初，已經出版了三十六册七十一種，時代上起六朝，下迄民國，在學術普及方面作出了一定的貢獻。

新中國成立六十年來，尤其是改革開放三十年來，南京的政治、經濟、文化建設飛速發展，但南京文獻的全面系統整理出版工作一直没有得到應有的重視，這與南京這座國家歷史文化名城的地位頗不相稱。據調查，目前有關南京的各類文獻主要保存在南京圖書館、南京市檔案館，以及全國各地的高等院校、科研院所、圖書館、檔案館、博物館，少數流散於民間和國外。一方面，廣大讀者要查閲這些收藏在全國各地的南京文獻殊爲不便；另一方面，許多珍貴的南京文獻隨着歲月的流逝而瀕臨損毁和失傳。南京文獻的存史、資治、教化、育人功能没有得到應有的發揮。

盛世修史（志）。在中華民族和平崛起和大力弘揚民族傳統文化、全力發展民族文化事業的大背景下，在建設『文化南京』的發展思路下，中共南京市委、南京市人民政府於二〇〇九年十二月作出決定，將南京有史以來的地方文獻進行全面系統的匯集、整理和影印出版，輯爲《金陵全書》（以下簡稱《全書》），以更好地搶救和保護鄉邦文獻，傳承民族文化，推動學術研究，促進南京文化建設；同時，也更爲有効地增加南京文獻存世途徑，提昇南京文獻地位，凸顯南京文獻價值。

爲編纂出能够代表當代最高學術水平和科技成就，又經得起時間檢驗的《全書》，我們將編纂工作分成三個階段進行。第一個階段爲調研階段，主要對南京現存文獻的種類、數量、保存現狀以及收藏地點等進行深入細緻的調研，召集專家學者多次進行學術論證和可操作性論證，撰寫出可行性調查報告，爲科學決策提供依據，此項工作主要由中共南京市委宣傳部和南京出版社組織完成。第二個階段爲啓動階段，以二〇〇九年十二月二十四日召開的『《金陵全書》編纂啓動工作會』爲標志，市委主要領導親自到會動員講話，市委宣傳部對《全書》的編纂出版工作作了明確部署。在廣泛徵求專家學者意見的基礎上，確定了《全書》的總體框架設計，確定了將《全書》列爲市委宣傳部每年要實施的重大文化工程，確定了主要參編責任單位和責任人，並分解了任務。第三個階段爲編纂出版階段，主要在全國範圍内進行資料的徵集、遴選和圖書的版式設計、複製、排版及印製工作。

爲了確保《全書》編纂出版工作的順利進行，中共南京市委、南京市人民政府成立了專門的編纂出版組織機構。其中編輯工作領導小組，由中共南京市委、市政府領導以及相關成員單位主要負責人組成；《全書》的編纂出版工作由市委宣傳部總牽頭；學術指導委員會，由蔣贊初、茅家琦、梁白泉等一批全國著名的專家學者組成，負責《全書》的學術審核和把關。

《全書》分爲方志、史料和檔案三大類。自二〇一〇年起，計劃每年出版四十册左右。鑒於《全書》的整理出版工作難度較大，周期較長，在具體操作中，我們採取了分工協作的方式。市委宣傳部和南京出版社負責《全書》的總體策劃，其中方志部分，主要由南京市地方志編纂委員會辦公室和南京出版傳媒集團·南京出版社共同承擔；史料部分，主要由南京圖書館承擔；檔案部分，主要由南京市檔案局（館）承擔。《全書》的編輯出版，得到了江蘇省文化廳、江蘇省新聞出版局、江蘇省檔案局（館）、南京大學、南京圖書館、南京市文廣新局、南京市社科聯（社科院）、南京市文聯、金陵圖書館以及各區委宣傳部和地方志辦公室等單位及社會各界的熱情鼓勵和大力支持，尤其是得到了中國國家圖書館和全國各地（包括港臺地區）高等院校、科研院所、圖書館、檔案館、博物館等藏書單位的鼎力相助，在此表示深深的謝意！

我們相信，在中共南京市委、南京市人民政府的長期不懈支持下，在各部門、各單位的積極配合和衆多專家學者的共同努力下，這項功在當代、利在千秋的傳世工程一定能够圓滿完成。

《金陵全書》編輯出版委員會

凡例

一、《金陵全書》（以下簡稱《全書》）收録的南京文獻，依内容分爲方志、史料和檔案三大類。

二、《全書》按上述三大類分爲甲、乙、丙三編，以不同的封面顔色加以區分；每編酌分細類，原則上以成書時代爲序分爲若幹册，依次編列序號。

三、《全書》收録南京文獻的範圍，以二〇一三年南京市所轄十一區，即玄武、秦淮、建鄴、鼓樓、浦口、六合、棲霞、雨花臺、江寧、溧水和高淳爲限。

四、《全書》收録的南京文獻，其成書年代的下限爲一九四九年。

五、《全書》收録方志和史料，盡量選用善本爲底本。《全書》收録的檔案以學術價值和實用價值較高爲原則，一般選用延續時間較長、相對比較完整的檔案全宗。

六、《全書》收録的南京文獻底本如有殘缺、漫漶不清等情況，必要時予以配補、抽換或修描，以保證全書完整清晰；稿本、鈔本、批校本的修改、批注文字等均保留原貌。

七、《全書》收録的南京文獻，每種均撰寫提要，置於該文獻前，以便讀者了解其作者生平、主要内容、學術文化價值、編纂過程、版本源流、底本採用等情况。

八、《全書》所收文獻篇幅較大時，分爲序號相連的若幹册；篇幅較小的文獻，則將數種合編爲一册。

九、《全書》統一版式設計，大部分文獻原大影印；對於少數原版面過大或過小的文獻，適當進行縮小或放大處理，並加以説明。

十、《全書》各册除保留文獻原有頁碼外，均新編頁碼，每册頁碼自爲起訖。

提要

《金陵梵刹志》五十三卷，明代葛寅亮撰。

葛寅亮（一五七〇—一六四六年），字水鑒，號屺瞻，浙江錢塘（今杭州）人。萬曆二十八年（一六〇〇年）解元，次年進士。授南京禮部儀制司主事，遷祠祭清吏司郎中。歷官江西右參議、湖廣提學副使、福建右參議等。天啓六年（一六二六年）十月，升南京尚寶司卿。崇禎四年（一六三一年）七月，起尚寶司卿。崇禎七年（一六三四年）九月，爲左通政。明朝滅亡後，堅持抗清；弘光政權時，起爲太常寺卿，轉大理寺卿、户部侍郎，後任隆武政權工部侍郎、尚書。隆武政權滅亡後，葛寅亮憂憤成疾，絶食而卒。

南京爲六朝古都，歷史上佛教、佛寺興盛。吴赤烏年間，康僧會至此，營立茅茨，設像行道，吴主孫權爲造建初寺，開南京佛寺之先。迄於六朝末，諸帝王崇尚佛教，臣民效法，南京名僧雲集，佛教學術研究風氣濃厚，是中國南方的佛教中心。帝王臣民修建佛寺，鷲宫鹿苑，盛甲宇内。『南朝四百八十寺，多少樓臺烟雨中』，描繪的就是當時景象。在唐代，棲霞寺獲得朝廷扶持，成爲天下四大叢林之一。同一時期，法融禪師在牛首山設禪布教，創立『牛頭禪』。五代十國時期，以南京爲統治中心的南唐最高統治者崇好佛教，在此期間，文益禪師在南京創立『法眼宗』。至元朝，元文宗以他在南京的藩邸爲基礎，修建大龍翔集慶寺，并詔令名僧笑隱長老住持於此，大龍翔集慶寺成爲元代後期的南京首刹。

明初定都南京，太祖、成祖皆崇佛建寺。通過修理、徙建、新建、賜額等方式，明太祖在南京陸續建立起以靈谷寺、天界寺、天禧寺、能仁寺、鷄鳴寺爲代表的國家五大寺。永樂年間，成祖續加修建，形成靈谷寺、天界寺、報恩寺三大寺和能仁寺、鷄鳴寺、静海寺、棲霞寺、弘覺寺五次大寺的國家八大寺。當時南京寺院數量衆多，殿堂崇麗，佛學興盛，寺院經濟强盛，是全國佛教的中心。明成祖遷都北京以後，由於失去了最高統治者的眷顧和保護，南京的佛寺和佛教均有所衰落。

葛寅亮在擔任南京禮部祠祭清吏司郎中時，正值萬曆後期，當時南京佛寺的制度涣散，寺田流失，佛寺蕭條，佛教衰微。葛寅亮本人信佛奉佛，而南京佛教、佛寺事務爲其主管諸務之一。於是，他發心振救，着意改革，將具備規模的佛寺按照『就近』原則，分爲大、次大、中、小四種類型，以大寺統次大寺、中寺，次大寺、中寺統小寺，實行嚴格的統屬管理；清田定租，佛寺賜田久奪於豪右者，皆悉力復之，并招集佃户，確定寺田租額；主持訂立佛寺各項制度，包括行政、經濟、教育等。

《金陵梵刹志》仿北魏楊衒之《洛陽伽藍記》而體裁不同，不僅述寺廟，亦兼述祠政。該書首《御制集》，有敕諭、詔誥、論、説、序、雜著、贊、詩、附解等目，收録明太祖佛教詩文。次《欽録集》，始自洪武五年，迄於宣德五年，輯洪武至宣德年間有關釋政之詔命、舉動及文獻，按年編次。三卷以下則分述各寺，計大寺三、次大寺五、中寺三十八、小寺一百三十，分别介紹各寺興廢沿革、名勝風景、殿堂、公産、山水、古蹟、人物等；藝文方面先録御制文，次録碑記、塔銘，次録高僧傳志，次録詩作；大寺之前，繪有寺圖。四十九卷爲《南藏目録》，羅列《永樂南藏》所收録佛教經、律、論各典籍書目。五十卷以次爲《租額條例》《公費條例》《僧規條例》《公産條例》，保存葛寅亮所制訂的各項規制，及各寺收支等經濟史料。該書體例謹嚴，搜羅完備，是一部十分難得的明代南京佛寺通志，是研究有關明代史、明代佛教史、南京佛教史以及南京佛刹與南朝佛教史的重要歷史文獻。

《金陵梵刹志》在明萬曆三十五年（一六〇七年）由南京僧録司始刊，天啓七年（一六二七年）補刊了序文。民國二十五年（一九三六年）鎮江金山江天寺以所藏天啓補刻本，配補江蘇國學圖書館藏本，又取明代集部文獻鈔補校勘，在上海影印出版《金陵梵刹志》。一九八〇年臺灣明文書局出版《中國佛寺史志匯刊》第一輯，一九九六年江蘇廣陵古籍刻印社出版《中國佛寺志叢刊》，一九九七年齊魯書社出版《四庫全書存目叢書》，二〇〇二年上海古籍出版社出版《續修四庫全書》等，均收録本書，皆爲民國校勘本影印。二〇〇七年，天津人民出版社出版《金陵梵刹志》點校本，是由何孝榮據民國校勘本點校的。二〇一一年，該點校本又經修改體例，收入《南京稀見文獻叢刊》，由南京出版社出版。

《金陵全書》收録的《金陵梵刹志》以南京圖書館館藏明朝萬曆三十五年（一六〇七年）刻本爲底本原大影印出版。

何孝榮

金陵梵刹志序

西教入支那始於東漢而最熾於六朝維時遞都金陵鷲宮鹿苑盛甲寰內所謂四百八十寺者是也歷唐逮宋崇替靡常

高皇帝神聖深究三教之理洙泗而外葑乘迦維一時高僧輩出而高帝所以護持叢林法係詳熾金陵梵剎指斯耳參嗟夫同一象教也蕭氏用

之以釀太清之氣
高帝不屏絶之而成漢武之
治何也蕭氏擷其粗而遺其
精
高帝茲好其精而唾其粗也
嘗論佛之精與吾儒不異

則其理也其粗必不可拋之中出則其教也辟觀東來單提秘密蕭氏所不解第以人主蔬食捨身為足奉佛成果綱倫法斁其何能國今觀

高帝三教論及諭諸僧
勅於宗門妙義抑何暢也
至治天下非儒碩不登於庭
非六經不隸於學而部多之
訓不參焉蓋取其精在明
陰翼聖真贊王度而終其

粗者不以恩吾倫物之教故
支達儒佛同異之旨東參如
高帝訪於安摩竭一派東
而無如
高帝得道統之大豈不與
其得國統之正均千古未有

然今世闢佛者祖昌黎人人火廬之說，仇之若敵國，而後佛老褰裳說之，口諷貝多，自同方袍，饕餮吐其精而出，專剽其祖於高帝昔所謂齊失而楚來爲得吳南祠部職訪梵剎同官錢塘葛君偕事日夕備蒐舊令甲以率其職頹者葺之缺者復之不持儀律者飭之緩敝陋因改振已復搜陳牒據近事彙而爲志以備

國典之外史法藏之別棠余藉手成事因宣言簡端俾後之觀者想見我為帝統一道真向於彼教捨俸求珠闢佛佞佛絲絲追見皆可恕設其為得志

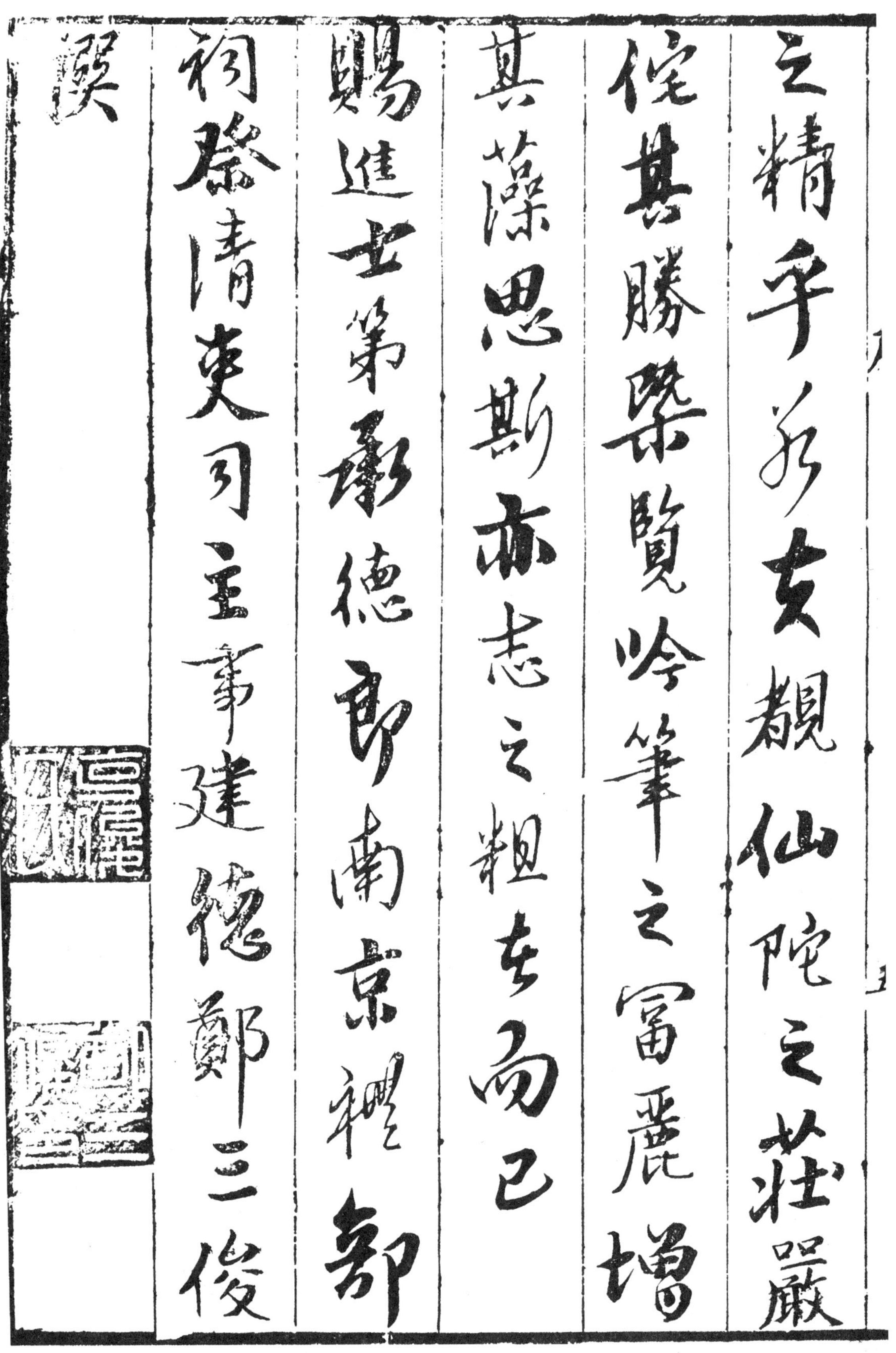

之精乎羽玄覯仙陀之莊嚴侘甚勝槩覽吟筆之富麗增其藻思斯亦志之粗在而已

賜進士第承德郎南京禮部祠祭清吏司主事建德鄭三俊撰

金陵梵刹志凡十九則

一志昉楊衒之洛陽寺記而體裁不同盖昔止述雄觀今兼餙祠政撰志之意業有殊者君資博考鏡亦竊附云

六朝佛寺多至四百八十名沉蹟滅靡得而傳無志故也　國朝定都招提重建或沿故基易其名或仍舊額更其處加以修復增置共得大寺三次大寺五中寺三十二小寺一百二十其最小不入志者百餘京城内外星散綺錯有道里迢遞有山林邃僻人跡或未涉方域或未辨郡邑史又所忽略靈谷棲霞牛首花巖寺各一乘原非備觀故輯斯志

一三大寺俱僧錄分攝如靈谷寺統中寺若干中寺領小寺若干故篇首總冠以靈谷其中分條析理絕無溷淆先以大寺總爲一卷次以次大寺爲一卷中寺無論繁多卽篇目寥寂亦寺各爲一卷以便稽覽餘二大寺倣此

一畿内外俱以五城畫疆而治故寺坐落卽注某城某門去所統某寺若干里惟城内止書某城及所統何地何刹

一世有代興寺隨時徙沿革何常稱名無定今考元金陵新志及應天上元江寧三志地與寺合年與代符不相

枘鑿者方始入志精求徵信以備古今興廢之林

一崇復閎麗必數名藍荒簡卑狹自居小刹故殿堂基址規摹具見增損盈缺亦復可稽因首列之

一大寺次大寺田地洲塲皆出　欽賜中小寺則有常住有施捨總名公產括寺實徵籍其總數于公產之下僧不得售人不得市廢有常食云其大寺租額公費另詳別帙

一三大寺五次大寺禪堂增新飾舊俱如重剏大寺惟靈谷租饒得兼設律堂能仁獨缺亦不一例中小寺大率缺陷　賜租既無檀施多匱即有一團蕉地何以飫衆

規制宏隘未可同日

一金陵佳麗半屬江山如鍾阜棲霞清涼雨花雞鳴鳳臺燕磯牛首而外何可臚列是惟花宮蘭若標奇占勝因志山水其間峰巖泉石卽昔著今湮者亦或謝屐郗縣曾駐其下故復不遺

一阿閣浮圖當時插漢荒基遺像此日眠雲如是之屬古蹟斯在又若開善之閟園陵空存載籍定林之仍扁額已換林泉勝實無歸名緣附寄亦不欲掩千古靈奇託之遐覽云爾

一江左玄風相扇清言爭奧付鉢開宗間堪大德登壇豎

義非之名僧故列人物其有當時位望尼席掄鋒到處
叅游停車揮麈名士芳躅因附棲講之下

一寺碑僧誌遺自先朝已爲一欎搜其斷簡貫類寸金至
於當代撰著自匪名家雖稱完璧細褒有限未便兼收
披簡以還亦爲殘馥剜綴之訥總無恤焉

一名人紀游諸篇品題江山點綴臺殿想其屐處可當臥
遊因取增藻志林標奇撰杖惟涉汗漫稍置剪裁

一前代帝王卿相名流高士與法師往復尺一無慮累楮
間摘數篇附之傳後其與寺無關敷詞少采悉不汎載

一高僧傳神僧傳傳燈錄五燈會元所識名僧代不數人

人不數傳今所裒采如實誌諸傳事有徵奇文多摭實業錄其全至于參講涉歷寺無定居居無定年又如伏虎馴蛇術同魘噀譚寘記夢事類虞初未得盡述乃汰浮華用存精樸書爲傳略若祇取單隻另入人物以表其名寧譏裂錦無慚碎金矣

一諸寺前朝題詠蒐括羣書網羅百氏已蔑遺矣如南唐李公建勳宋王公安石久住金陵篇什最富惟錄其著記名蹟者已自盈楮若夫 明興建都列署三百年于茲卿尹大夫之干旄隱士騷人之芒蹻聚寶以南棲霞以北幾無虛日其諸藻裁想當綺疊是編採拾止于郡

邑志所載諸未經目不暇駢羅

一序次先　宸墨尊昭代也其下文自爲類先寺中修建碑記次遊記次僧傳誌銘俱于各類中分朝代先後即前帝王製作亦與名公類編惟詩槩序朝代不分諸體不敘爵里示簡雅云

一歸併舊寺惟靈谷報恩二寺而靈谷爲多先鍾山有寺七十所宋王丞相歸併小寺于太平興國寺　國朝以興國寺爲　孝陵另建靈谷寺則興國即在靈谷且以

一靈谷槩鍾山矣故諸寺仍併入焉報恩即長干寺建初寺與長干相望其地皆名佛陀里建初廢掌故自宜

入長干以徵江南塔寺之始餘無可倂者另入廢寺興赤烏十四年爲康僧會建寺迄于六朝梁陳之際櫛比金碧爛熳極矣唐宋元兵燹圮毀之餘原野寥廓鐘聲罕聞爰檢前牒閒睹遺篇載徵往志徵存舊額乃另列廢寺卽一傳一詩亦考年別代編爲一寺以垂徵攗俾後世不泯云若夫殿堂諸款靡尋影響任其闕然

金陵梵刹志目錄

御製集　第一卷

贊

金陵梵刹志 目錄 卷二

詩

不慧庵示僧
附錄還經示僧
諭僧
三教論

八功德水記　宋趙師縉
鍾山太平興國寺碑記　元翰林學士虞集
蔣山鐘銘　元中書右丞趙世延
奉　勑撰靈谷寺碑　明杭州府學教授徐一夔
蔣山寺廣薦佛會記　明翰林學士宋濂
重修寶公塔記　明右覺義可浩
遊鍾山寺記略　宋陸遊
遊鍾山記　元胡炳文
遊鍾山記　明翰林學士宋濂
遊靈谷記　明大學士呂柟

傳

誌法師墓誌銘　梁陸倕
寶誌公行實　寺志
寶公贊　唐李白
寶公贊　唐僧皎然
釋智藏傳略　高僧傳
與智藏法師書　梁元帝
佛慧泉禪師傳略　舊志
佛眼遠禪師傳略　舊志
雲峰高禪師傳略　舊志
圓辯順禪師誌略　明翰林學士宋濂

詩

和友封題開善寺　唐元稹
蔣山開善寺　南唐李建勳
同王勝之遊蔣山　宋蘇軾
和子瞻同王勝之遊蔣山　宋王安石
遊鍾山　宋王安石
登鍾山謁寶公塔　宋李綱
寶公塔　宋曾極
八功德水　宋曾極
蔣山法會應制　明王禕
春日蔣山應制詩　明林鴻
靈谷寺法會應制　明釋守仁
靈谷寺法會應制　明釋清濬
詔於龍灣普放水燈　明釋夷簡
法會賦迎駕　明釋夷簡
遊靈谷寺　明蔡汝楠
遊靈谷寺　明皇甫汸
訪月泉禪師　明徐元春
上巳日集靈谷寺　明王世懋
靈谷寺梅花塢六首　明焦竑
靈谷寺　明焦竑

靈谷併括舊寺遺蹟 附

文

傳

詩

文

紀形勝剏立建置　舊志

遊攝山棲霞寺記　明南刑部尚書吳郡王世貞

遊攝山棲霞寺記略　明禮部尚書丹陽姜寶

遊攝山棲霞寺記略　明按察副使吳郡馮時可

再遊攝山記略　明按察副使吳郡馮時可

傳

法度禪師傳略　高僧傳

智者禪師傳略　集諸傳

法響禪師傳略　佛祖統紀

釋慧侶傳略　高僧傳

釋保恭傳略　高僧傳

釋元崇傳略　高僧傳

釋智聰傳略　高僧傳

大德玑律師碑略　唐劉軻

御製攝山明徵君碑　唐高宗

明僧紹傳略　舊志

詩

和令君遊虎穴寺　梁王冏

奉和江令　梁陸罩

奉和江令　梁孔燾

奉和江令　梁王臺卿

從駕虎穴寺　梁鮑至

遊棲霞寺　陳江總
静臥棲霞寺房　陳江總
遊虎穴寺　陳江總
營涅槃懺　陳江總
入攝山棲霞寺　陳江總
棲霞寺山房夜坐　陳江總
仰同令君山房夜坐　陳徐孝克
仰和江令君　陳徐孝克
送陸鴻漸棲霞採茶　唐皇甫冉
送陸鴻漸採茶相過　唐皇甫冉
攝山　唐顧況
棲霞寺　唐顧況
登棲霞寺峰懷望　唐李緒
送族弟至郭南廻棲霞山　唐李白
題棲霞寺　唐綦毋潛
棲霞寺尋明徵君故居　唐劉長卿
登棲霞寺　唐常袞
攝山　唐權德輿
與沈拾遺宿僧舍　唐權德輿
棲霞寺山房　唐李頻

登棲霞寺　唐皮日休
棲霞寺夜坐　唐僧靈一
登棲霞寺　唐蔣渙
遊棲霞寺　唐張暈
遊棲霞寺　南唐李建勳
棲霞寺贈月公　南唐周繇
題棲霞山房　宋王隨
天開巖　宋王隨
題攝山舍利塔　明王世貞
千佛巖　明王世貞
登攝山絶頂　明葉向高
遊棲霞三首　明董應舉
棲霞寺二首　明曹學佺
冉集攝山方丈　明郭第

衡陽下院 小剎

銅井院 中剎　第五卷

十方律院 小剎

吉祥菴小刹

廻龍菴小刹

龍華菴小刹

雙橋門圓通菴小刹

慈憫菴小刹

興善寺中刹　第六卷

觀音菴小刹

觀音閣中刹　第七卷

文　重修觀音閣記略　明南兵部尚書太原喬宇

苜蓿菴小刹

土山　明黃姬水

東山　明焦竑

廣惠寺 小刹

祈澤寺 小刹

詩

祈澤寺　宋王安石

墮雲峰　明盛時泰

仙人岩　明盛時泰

翻經平　明盛時泰

天寧寺 小刹

文

天寧寺遊記　明按察副使顧璘

詩

天寧寺　明王韋

雲居寺 小刹

莊嚴寺 小刹

文

大莊嚴寺碑銘　隋開府儀同三司江總

莊嚴寺重興記略　明釋印菴

方山定林寺 中刹　第十卷

紫草寺　小剎

華嚴菴　小剎

廣惠院　中剎　　第十三卷

崇善寺　小剎

文　崇善禪寺碑銘畧　　明南尚寶少卿夏瑄

寶善寺　小剎

龍泉菴　小剎

隱靜寺　小剎

本業寺　小剎

文　本業寺記　　唐僧契撫

游陽山本業寺記　　明翰林學士胡廣

詩 本業寺 明顧源

普濟菴 小刹

普濟寺 小刹

山海院 小刹

法清院 中刹 第十四卷

香林寺 小刹

吳讀菴 小刹

許村菴 小刹

多福寺 小刹

文 多福寺重興記 明翰林學士錢塘倪謙

傳

詩

雞籠山雞鳴寺　次大剎　第十七卷

藏經護勅　正統十年十月十五日

【文】重修雞鳴寺記略　明南吏部尚書晉陵王輿

雞鳴寺施食臺記　明釋道果

憑虛閣記略　明南刑部郎晉陵呂律

過後湖記　明南户部主事計弘道

【詩】雞鳴埭曲　唐溫庭筠

宿雞鳴寺　明王履吉

登雞鳴寺塔望後湖　明王履吉

雞籠山　明吳寬

雨中集憑虛閣餞客　明錢琦

會集憑虛閣抱病不赴　明錢琦

宿雞鳴寺　明陳沂

雞鳴寺憑虛閣　明陳沂

憑虛閣雨中秋望　明焦竑

盧龍山靜海寺　次大剎　第十八卷

藏經護勅　正統十年二月十五日

【文】靜海寺重修記略　明南禮部侍郎楊廉

文遂禪師傳　傳燈錄

詩

石頭山　唐李白

遊清涼寺　唐溫庭筠

遊清涼寺　唐張祜

清涼翠微亭　宋林逋

贈清涼和長老　宋蘇軾

次舊韻贈清涼長老　宋蘇軾

清涼竹賦　宋王嵎

清涼白雲菴　宋王安石

遊清涼寺　明黄省曾

登清涼寺後臺　明李東陽

遊清涼寺二首　明王守仁

送陳揚州暮登清涼山　明王世懋

伽藍菴 小刹

永慶寺 中刹　第二十卷

文

永慶寺緣起略　明住持宗海

詩

登冶城謝安墩　唐李白

謝安墩　宋王安石

謝安墩　宋王安石

示永慶院秀老　宋王安石

遊永慶寺　明顧璘

九日登謝公墩　明焦竑

獅子窟 小刹

定林菴 小刹

文

定林菴記　明溫陵李贄

淨樂菴 小刹

虎賁左衛正覺菴 小刹

淨土菴 小刹

鳳凰臺上下瓦官寺 中刹 第二十一卷

金陵梵刹志　目錄　卷十四

詩

華光菴 小刹

一葦菴 小刹

五雲菴 小刹

驍騎衛千佛菴 小刹

普利寺 小刹

封崇寺 小刹

〔文〕 脩封崇寺碑記　明南翰林掌院事秣陵朱之蕃

留守正定菴 小刹

青溪鷲峰寺 中刹　第二十二卷

〔文〕 奉詔立放生池碑　唐昇州刺史顏真卿

乞御書天下放生池碑額表　唐昇州刺史顏真卿

青溪閣記　宋朝奉郎張椿

放生池記　宋景定建康志

鷲峰寺碑記略　明禮部尚書杭郡鄒幹

復顏魯公放生碑蹟并建祠小記　明南祠部郎錢唐葛寅亮

過青溪王昌齡宅　唐常建

青溪草堂閑興　南唐李建勳

青溪　宋馬光祖

青溪閣　徐照

晚步青溪上　明宋濂

青溪　明焦竑

迴光寺 小刹

文　鹿苑寺記略　宋元絳

重修迴光寺碑略　明太常少卿浚儀邢一鳳

千佛庵 小刹

大中正定庵 小刹

承恩寺 中刹　第二十三卷

藏經護勅　景泰三年六月十五日

文　承恩寺記略　明南翰林學士晉陵王俱

亭子巷觀音菴小剎

佑國菴小剎

〔文〕建立潮音閣疏引　明南國子博士臧懋循

傘巷觀音菴小剎

普緣寺中剎

第二十四卷

〔傳〕耆闍寺安廩傳略　高僧傳

〔詩〕陪衡陽王遊耆闍寺　陳張正見

與張折衝遊耆闍寺　唐孟浩然

唱經樓小剎

普賢菴小剎

吉祥寺中剎

第二十五卷

文　重修吉祥寺碑　明修撰秣陵焦竑

金陵梵刹志　目錄　卷十七

詩

登觀音山　明宗臣
登觀音閣　明柴奇
登觀音閣　明陳鳳
游觀音閣三首　明張時徹
遊燕子磯　明張鏊
燕子磯　明陳芹
九日泛舟燕子磯　明楊文卿
燕子磯　明顧璘
登燕子磯次浚川韻二首　明王維楨

文

重建觀音寺碑畧　明南尚寶卿許穀

觀音寺小刹

清真寺小刹

苍惠寺小刹

接待寺中刹

第三十卷

江東門積善菴小刹

中和菴小刹

報國菴小刹

聚寶山報恩寺大刹

第三十一卷

御製黄侍郎立恭完塔記　洪武戊辰十二月日

報恩寺修官斋勑　永樂五年十月十五日

重修報恩寺勑　永樂十一年

御製大報恩寺左碑　永樂二十二年二月

御製大報恩寺右碑　宣德三年三月十五日

藏經護勑　正統十年二月十五日

本寺護勑　成化八年十二月初一日

續入藏經護勑　萬曆十四年九月日

御製聖母印施佛藏經序　萬曆　年　月　日

文 長干寺無礙法喜食詔　廣弘明集

長干寺衆食碑　陳徐陵

天禧寺新建法堂記　宋李之儀

傳

詩

金陵梵刹志

八日牛首山　明黄克晦
清明日登牛首山　明余孟麟
經牛頭山寺　明陳沂
登牛首山　明柴惟道
夏日登牛首山　明皇甫汸
秋日思牛首　明皇甫汸
游牛頭寺　明劉世揚
牛首山　明顧大典
牛首山閱楞嚴夜坐　明殷邁
陟牛首山有述　明王世貞
將至祖堂返望牛首　明王世貞
游牛首山聽友吹簫　明安紹芳

外承恩寺　小刹

通善寺　小刹

（文）

通善寺碑　明大學士楊溥

廣緣寺　小刹

三山寺 小剎

文 三山寺實錄 明住持曇昕

詩 三山 宋鮑照

三山 宋范雲

晚登三山望京邑 宋謝朓

三山 唐李白

三山 明金大輿

圓通寺 小剎

佑聖菴 小剎

資福寺 小剎

靜明寺 小剎

詩 游靜明寺 明沈越

雨花臺高座寺 中剎 第三十四卷

安隱寺小刹

文 重修安隱寺碑記畧 明南兵部尚書喬宇

詩 游安隱寺 明皇甫汸

寶光寺小刹

藏經護勅 正統十年二月十五日

文 重修寶光寺記畧 明南刑部郎中何思登

詩 游寶光寺 明皇甫汸

均慶院小刹

月印菴小刹

文 重修月印菴記畧 明工部主事建業黄謙

梅岡永寧寺中刹 第三十五卷

文 重開山碑記畧 明工部主事建業黄謙

永寧院小刹

寶林菴小刹

瑞相院小刹

永興寺中刹　第三十六卷

普照寺小刹

文　普照寺重修前殿記畧　明南刑部郎平定白鑑

惠應寺小刹

安隱院小刹

西天寺中刹　第三十七卷

記　西天班的荅禪師誌畧　明西天佛子國師智光

德恩寺 小刹

藏經護勅　正統十年二月十五日

大慧菴 小刹

到彼菴 小刹

普德寺 中刹　第三十八卷

詩　游普德寺　明皇甫汸

碧峯寺 中刹　第三十九卷

文　碧峰寺起止記畧

傳　碧峰禪師碑畧　明太子贊善宋濂

非幻大禪師誌畧　明長史三衢金寔

永福寺 小刹

新亭崇因寺 中刹　第四十卷

文

曠野寺碑　梁元帝

觀音頌并序　宋翰林學士蘇軾

集慶路崇因寺記　元豫章沙門大訢

新亭渚別范零陵雲　宋謝朓

和徐都曹出新亭渚　宋謝朓

昧旦出新亭渚　宋徐勉

過崇因寺簡古曇上人　明陳沂

遊崇因寺　明許穀

遊崇因寺　明姚汝循

英臺寺 小刹

慈善寺 小刹

興福寺 小刹

鳳嶺寺 小刹

詩

獻花岩　明錢琦

登芙蓉閣　明陳沂

宿達公房　明陳沂

宿花岩寺　明陳沂

澄江臺　明王韋

芙蓉閣　明王韋

遊獻花岩　明曾鐸

秋日遊花岩　明蔡羽

歸雲亭　明蔡羽

登獻花岩芙蓉閣　明湯顯祖

慧光寺　小刹

文

光宅寺刹下銘　梁尚書令沈約

上錢隨喜光宅寺啟　梁尚書令沈約

重建慧光寺記略　明南太常少卿召明鄭維言

傳

光宅寺僧正法師碑銘　梁元帝

釋法悦傳略　高僧傳

釋曇瑗傳略　高僧傳

與梁朝士書　梁釋曇瑗

詩

遊光宅寺應令　梁簡文帝

遊光宅寺　宋王安石

幽棲山祖堂寺 中刹　第四十四卷

傳

法融禪師傳　傳燈録

詩

遊幽棲寺　明王韋

祖堂山　明朱應登

祖堂山　明顧源

祖堂山　明盛時泰

祖堂山　明王世貞

上巳後二日遊幽棲寺　明湯顯祖

吉山寺 小刹

永泰講寺 小刹

寧海寺 小刹

静居寺 小刹

建昌寺 中刹　　第四十七卷

西林寺 小刹

般若寺 小刹

文 般若禪院記畧　　明左春坊右庶子鄒濟

明性寺 小刹

衲頭菴 小刹

高臺寺 小刹

廢寺　　第四十八卷

保寧寺

文 保寧寺舊序　　金陵新志

保寧寺輪藏記　　宋葉夢得

文　和范光祿祇洹寺像讚三首　宋侍中謝靈運

傳　釋曇遷傳　高僧傳

鐵塔寺

文　鐵塔寺舊序　金陵新志

詩　金陵阻風登延祚閣　唐許渾

題正覺院鏵龍軒二首　宋王安石

湘宮寺

文　湘宮寺舊序　金陵新志

湘宮寺碑銘　梁簡文帝

傳　湘宮寺智蒨法師志銘　梁簡文帝

宋興寺

文　宋興寺舊志　金陵新志

詩　遊宋興東岩　南唐李建勳

安樂寺

淨妙寺

同泰寺

善覺寺

證聖寺

報恩院

報慈道場

傳　金陵報慈道場玄覺導師傳　傳燈錄

金陵梵刹志卷一

御製集

勑諭

授了達德瑄溥洽僧録司

西說東來妙演無量或云不二法門斯道也本苦空丗寂寞從斯道者果若是宜其然哉邇來僧録司首僧闕員召見任者命詢問其人各首僧承命而還不數日來告曰臣弘道等若干人前奉勑詢高僧於諸山即會叢林大衆衆皆曰惟淛右上天竺僧溥洽京師雞鳴寺僧德瑄能仁寺僧了達東魯之書頗通西來之意博備若以斯人備員僧

錄司實爲允當嗚呼昔人有云世不絕聖國不絕賢近者僧錄司闕員朕將以爲無人矣及其詢問乃有人焉今朕域之內慕清淨而欲出三界者有其名而無其實其泛泛者不下五七萬爾今三人不屈五七萬之下伸于五七萬之上可謂志矣可謂道矣然昔如來道備於雪嶺歸演五天妙音無量靈通上下天人會聽若斯之演聽四十九秋自是之後五百餘年流傳東土雖九夷八蠻一聞斯道無不欽崇頂禮何況中國文物禮樂之邦人心慈善易爲教化若僧善達祖風者演大乘以覺聽談因緣以化愚啟聰愚爲善于反掌之間雖有國法何制乎縲紲刑具亦何以

施豈不合乎柳生之言陰翊王度豈小小哉今爾僧了達德瑄溥洽達祖風遵朕命則法輪常轉佛日增輝名僧于吾世足矣往欽哉毋怠

授仲羲闡教

入定于大千界裡談經于不二門中解脫爲空淸虛成性久留心于佛教獨潛跡於禪林去就一之是非不染爾仲羲居山禪伯對月詩宗抱不墮之慈悲樂無窮之淸淨乃命闡教之職用副僧録之司尚宜深究佛書詳窮禪教條分本末縷析始終俾諸僧皆悟静中之禪而無教外之失今特授爾僧録司右闡教往欽于訓宜懋爾功

授玘太朴左講經

經中知人我之相教外忘大小之乘非古刹之沙門寔東林之德士學高諸侶名動一時爾玘大朴養性得宜講經不倦持身謹戒臨事慎爲是用職爾僧官以副朝典徃化釋子無怠講經尚宜以佛之覺覺人以師之業業已俾釋子有達憲章庶不負朕設官之初意也今特授爾僧録司左講經汝其勉之

授清濬左覺義

夫僧者立身於物表以化人初不可煩以官守也然而聚廬以居合衆而食錢穀有出納簿籍有勾稽不有所司何

以能治故僧官之設歷代不廢今命爾僧清濬爲僧錄司左覺義爾其往慎乃職勿怠以私使彼學道之徒安居飽食而不懈於進修以稱朕興隆爾教之意欽哉

建昌僧官

天下大道惟善無上其善無上者釋迦是也固大慈忍志立大悲願心行無所不至化無所不被論性原情談心玅理潔六塵之無垢淨六根之無翳去諸魔而清法界制外道以樂人天斯行斯脩而歷刼無量乃降兜率至於梵宮旣捨金輪而猶苦行於雪嶺時道成午夜明星相符朕觀如來以巳之大覺而欲盡覺諸法界衆生其爲慈也大其

爲悲也深可爲無上者歟世人宿有善根者皆慕佛力寰中之脩者甚廣今建昌僧某博脩佛道善馭僧民其方士民仰僧善道感化人淳旣内附之誠理宜授以建昌府僧綱司某官爾吏曹如敕毋怠

諭鍾山僧敕

且佛之爲教也善其大也溥被生死仲尼有云西方有大聖人不言而化不治而不亂可謂能人矣云何大覺金仙又讃之以能仁以其不繩頑而頑化美善而善光其行苦而不苦其心素而弗素雖儔雪嶺之孤燈侶白晝之單影目星見性超出塵淪復有人天之説四十九秋其演也妙

備載大藏未嘗有訴逋逃於廷致慾於水火者耶況吾福祇樹千二百五十人從逋逃者未聞仲尼有云道千乘之國敬事而信節用而愛人今僧佃逃未審節用而致然耶抑愛人而有此耶若非此而有此則府謂僧云當自善來若論以如律恐傷佛性如勑奉行

諭僧純一

昔釋迦之為道孤處雪嶺於世俗無干及其道成也善被兩間靈通上下使鬼神護衛而聽從故世人良者愈多頑惡者漸少所以治世人主每減刑法而天下治斯非君減刑法而由佛化博被之然也所以梛子厚有云陰翊王度

是也爾沙門純一既棄父母以爲僧當深入危山結廬以靜性使神遊三界下察幽冥令生者慕而死者懷景張佛教豈不脩者之宜世人因是而互相倣傚雖不獨處窮居人皆在家爲善安得不去之淸泰因爾僧之所及也爾不能如是上下朝堂欲氣力以扶持意在鼎新佛寺集多財以肥已孰不知財寶既集淫慾並生況釋迦非大廈而居六載大悟心通方今梵像巍巍樓閣崢嶸金碧熒煌華夷處處有之此釋迦之所感若是歟集財而建造歟爾僧無知不能脩內而脩外故不答特役之今朕爾行命有司資路費往尋名山悟善已道以善人他日道光必燭寰宇可

不比佛之爲道哉

諭天界寺僧

諭天界寺善世諸行人吾聞釋迦之教務靖不喧時洗心而滌慮去五欲之魔淸六根之本雖不至六通圓覺之果其報也必在將來所以修行者磨厲也行者行也功者造積也凡云修行者先置驗不速又將不期然而然歟今之修者期驗欲疾茲然久之心不耐已慮不隔塵世之有者念無不在由是而失道迷宗愆重嵬山信之乎邇來左善世右善世左覺義欲不絕而事生曠致伽藍之有鑑使犯憲章斯非他人訐告亦豈朕之不理然自作爲定業將欲

以難責艱於解分是何行哉皆不務靖而好喧生事自取者也行人悟焉且二善世一覺義奏溧水一莊收糧五百有零除納官糧外餘四百二十二石九斗六升盡爲役夫之用不足又四百貫鈔益之猶以謂不足今來需者甚溧陽莊如之朕准其奏而欲收司者稽之及至寺取人而乃將司者半隱而半出亦云莊所並無司者至於冉三物色難以抵諱尚且東支西吾行止不顧豈有奏僧糧有礙朕將理之反匿其司者此果實歟不顧行止而誑歟於戲欲世之不可絶而絶之嗣祀之道不可無而忘矣何爲苦心志而勞用婪機設妄語於無端斯智禪乎

諭天界寺不律僧戒沕復

志所以崇聲名立節義去浮沈凡丈夫舉此必欲出類拔萃而異乎陋也又智用之而知無不知以之而覺覺無不先也豈有過去慈然而不追者乎斯二志智在天地間生而知之者善用教而知之者善守若生而不知教而不成類乎禽獸者也又何屑屑詢其所以然乎爾戒沕復者所至之地漸佛之場所脩者出世之道及今之所以甚於處俗妬忌之惡忿於蚖虵褻於覲佛不另禽獸所以昇而上殿閣旋佛前斯果頂禮乎當此之際志智全忘生死無知死生亦無知前勅住持誠若是乎曾聞生死也死生也云

何蓋生非死死非生豁然還有覺乎今茲然無知其所以然且今之罪報也人神共怒爲集金帛搆是非要虚名不立實效甚蛺蝶之尋芳遊蜂之捕蓝若蚍蜉之慕腥膻於車渠馬足之間不顧緺羅輪蹄之厄爾本清蟬翅霄漢麗天風飲高露而乃故低飛而掠殘花啖膻味甚於蜂蟻蝶乎今之罪也　在奏愆匿愆觀喜怒秉顔色及盗衆僧用特愚朕以飾巳非則身亾有日矣然死雖有日終未施行於法司且役於厨下以足衆僧饍設粥飯有虧不備味於湯調致使衆僧饑虚口澹則法司施行矣故兹勅諭

諭善世禪師板的達

禪師自西而來朝夕慕道務在濟人利物朕觀禪師之立志也努力甚堅其歲月之行也甚深故得諸方施供善者頂禮惡者歡心前者東達滄海而禮補陀旋錫錢塘而覲禪天目西遊廬嶽中國之名山遂禪師之意已達復來京師駐錫鍾山之陽日禪巖穴禪師之所以玄中仰觀俯察志在神游八極惟神天昭鑒邇者朕建陵山前聞禪師欲徙禪他往被無知者所惑乃曰非旨不前是致躊躕朕今勑禪師凡欲所向毋自猜疑當飛錫而進錫止而禪樂自然之天地快清淨之神魂豈不道成也哉

雲南僧遊方

金仙之教其心寂寞戒在苦空故修道者多棲岩屋樹落魄林泉翫霄壤之明月吟清風於松下置身物外淪世事如太虛若是者迺修之宣之爾雲南僧修者不辭萬里之遥欲覺因緣十二若止京師而師雲南又何知天台之景兩浙之美高僧之淵藪特勅往遊閱諸名山廓爾方寸膚爾神靈異時一歸演華言於金馬論風景於碧雞時乃道冠點蒼神遊八極快矣哉

諭僧

佛始漢至教言玄寂機秘理幽以其有傳也扺期而無教以其無教而有印心之旨愚不知旨故乃求旨切無乃顛

慌恍惚㳂昧於未判之先後累刼之冊裹何見一微塵之旨云何以旨問旨故指空談空謂空無際而無依忽焉無倚愚不知踟躅不已特以色求色以音求音孰不以謂利便而可也歟斯愚問而求旨之切故聽者孰謂可歟既聽者不以爲可將焉求諸所以然乎而或云佛本昭示善道大張法門豈有昧而又昧玄之而又玄蓋昧在昧出玄在玄生故遠求之雖在天外遍歷八荒亦何有知之見耶朕嘗聞知有好寢者通宵烈風迅雷而寢者恬然無覺此果心已矣乎神已矣乎果心已乎則以心問心果神已乎則以神問神亦不亦易乎然此若是之易難使佛見前安不

爲諸徒之所辯而知所措其法焉法本無門而有由道由何而止焉焉知知止而無識焉所以我空非空我相非相要見覿體無知之態似奔星廓落電影馳雲或爲虛妄而妄則妄起無端所以今之脩者棄本宗而逐末猶不知陷身於水火將焚而灰溺而腐尚以樂而不逼以爲快哉斯愚不知旨故特以爲然或聰者自以爲利根錐搜空萬刼之虛靈亦何見旨之有耶且以大藏教中諸佛泛言今之脩者以爲經之泛耶旨之異耶若以經泛旨異則古智人夜孤燈於嶺外晝侶影於林泉趣不我知我不趣知愚豈不謂嗤嗤然而以爲譏乎審者以謂不然動靜動靜以爲

天下樂是則以爲智人便信則以爲天下安化則以爲天下幸行則以爲天下福朕罔知所以舉大一藏教云諸佛之故鐫磨鈍根而爲說法朕不知法故特以儒書之所云子釣而不綱設使綱而絕流衆目既張了必歸於何處假使誠有歸處則一大藏經添一陪不爲多減一陪不爲少孰盡去之而願受謗周無文而備有法還契不立文字者互相姿誕如斯之說特敕智禪而云乎

赦工役囚人

爾故違憲章官吏人民曩者命禮曹布令于天下朕倣古制以禮導人後以律至諸司是繩不循軌度者斯乃行刑

也且刑聖人不得已而用者爲良善弗寧故也今朕一寰宇而兆民衆如爾等官貪吏蠹民縱奸頑詐良侮愚若不律以條章將必倣效者多則世將何治爾諸人所犯若論以如律人各盡本犯而後已柰何工已久矣構成樓閣以居大覺金仙塔就而志公之神妥其下因是將爾等罪無輕重一槩宥之於戲君子非善何以永世志人非功何以各書釋迦志公已逝數千百年猶能生爾等衆其善正之道志者可無覺乎故茲制諭

諭翰林待詔沈士榮

古智人有爲身而脩身吾不知脩者誰也或曰身爲神而

脩或云神爲身而脩因是之辯惑之而更惑果身脩神歟
抑神脩身歟吾不知二修之道但見古人遺跡欲求身易
而不艱於生身後不亾其名亦未知果爲身耶神耶或曰
終神也夫神天命也命也者氣也氣之所以含情抱性樞
於意焉所以脩者爲神而脩身若全首領於終世則神靈
矣未有殘肌膚異身首而爲神之善者邇來閫中有士習
安神之道云東馳西奔詢及儒釋道三宗必欲達之以玅
已之虛靈審當求之時若病篤而尋名方可見求之切歟
朕與之論惟儒術之學或可或不可因朕不識儒之奧故
云如是引談空之語皆諸方舊云懷抱甚傳然迷於是而

已不變矣再引道之淸虛與校之未免膚不及肌耳嗚呼善哉君子雖未至三宗之奇有心若是豈不謂學之足矣聃云居善地心善淵今之人頑肯近斯三宗者豈不全首領而妙虛靈者乎此卽智人也

詔誥

授善世禪師詔

佛教肇興西土流傳徧被華夷善世凶頑佐王綱而理道今古崇瞻由慈心而願重是故出三界而脫沈淪永彰而不滅爾具生吉祥本西域之民生而慈敏舉契善符懷如來之大法捨父母之邦衝陰埃而突瘴霧越流沙東行數

尊師程達吾斯地朕觀爾勞心願重特加善世禪師以神
善道更加朶兒只怯列失思巴藏卜爲都綱副禪師統制
天下諸山繩頑禦惡相爲表裏以施行於戲佐王綱而不
善理道幽微曠刼不生千古不滅願力宏深體斯之行無
往不復戒哉戒哉

護持朶甘思烏思藏詔

大矣哉大覺金仙行矣哉出無量歷阿僧下兜率生梵宮
異哉雪嶺之修世人過者乎天上人間經刼旣廣忍辱愈
多方成佛道善被人世法張寰宇人有從斯道者天鑒神
扶身後同遊於佛境若違斯道而慢佛者則天鑒神知羈

因地獄與鬼同處直候拂石刼盡而方生其斯憂乎苦乎一念同佛則百禍烟消化爲諸福今朶甘思烏思藏兩衛地方諸院上師踵如來之大教備五印之多經代謂闡揚化凡頑以從善啟人心以滌愆朕謂佛爲衆生若是今多院諸師亦爲佛若是而爲暗理王綱與民多福敢有不尊佛教而慢諸上師者就本處都指揮司如律施行毋怠

賜西番國師詔

佛教興於西土善因慱被華夷雖無律以繩頑惟仁心而是則大矣哉妙覺難窮昔從斯道者頓悟三空脫塵輪而出苦趣永離幽冥使生者懷而死者慕豈不聖人者歟適

來西番入貢有僧公哥監藏巴藏卜乃昔元八思巴帝師之後人云踵師之道深通奥典獨志尤堅化愚頑以從善起仁心以滌慾雖是遥聞特加爾圓智妙覺弘教大國師統治僧民名當時之善人永為教中之稱首於戲寂寞山房儔青燈而讀誦觀皓月以吟風疊膝盤陀之上草衣木食方契善符

論

三教論

夫三教之説自漢歷宋至今人皆稱之故儒以仲尼佛祖釋迦道宗老聃於斯三事誤陷老子已有年矣孰不知老

子之道非金冊黃冠之術乃有國有家者日用常行有不可闕者是也古今以老子爲虛無實爲謬哉其老子之道密三皇五帝之仁法天正已動以時而舉合宜又非昇霞禪定之機實與仲尼之志齊言簡而意深時人不識故弗用爲前好仙佛者假之若果必欲稱三教者儒以仲尼佛以釋迦仙以赤松子輩則可以爲教之名稱無瑕疵況于三者之道幽而靈張而固世人無不益其事而行于世者此天道也古今人志有不同貪生怕死而非聰明求長生不死者故有爲帝興之爲民富者尚之慕之有等愚昧罔知所以將謂佛仙有所悞國扇民特勅令以滅之是以興

滅無常此盖二教遇小聰明而大愚者故如是昔梁武好佛遇神僧寳公者其武帝終不遇佛證果漢武帝魏武帝唐明皇皆好神仙足世而不霞舉以斯之所求以斯之所不驗則仙佛無矣致愚者不信若左慈之幻操鑾巴之巽酒起貪生者慕若韓退之匡君表以躁不以緩絶鬼神無毫釐惟王綱屬焉則鬼神知韓愈如是則又家出仙人此天地之大機以爲訓世若崇尚者從而有之則世人皆虚無非時王之治若絶棄之而杳然則世無鬼神人無畏天王綱力用焉於斯三教除仲尼之道祖堯舜率三王删詩制典萬世永賴其佛仙之幽靈暗助王綱盖世無窮惟常

是吉嘗聞天下無二道，聖人無兩心。三教之立，雖持身榮儉之不同，其所濟給之理一。然于斯世之愚人，於斯三教有不可缺者。

釋道論

夫釋道者玄也，自太古至於三皇不聞其說。後梁武帝時，有胡僧，其狀頗異，自西來中國，棲江左。於是乎面壁九年，號曰達磨，乃西天佛子，相紹二十八祖，傳來東土，作初祖。彼說有佛，武帝欽之。且道者何也？因周柱下史李氏，紀國家之興廢，有衡太虛、察九泉之機，遂隱入山，名老聃。凡事有先知之覺，務生而不殺，故稱曰道。此有而真傳其許由

爲信也時人妄立名色以空界號上玉三清與聃共三曰
三清說大羅兜率天界使人慕而隱其機與僧悟禪如是
僧言地獄鑊湯道言洞裏乾坤壺中日月皆非實象此二
說俱空豈足信乎然此佛雖空道雖玄於内奇天機而人
未識何也假如三教惟儒者凡有國家不可無夫子生於
周立綱常而治禮樂助國宏休文廟祀焉祀而有期除儒
官叩仰愚民未知所從夫子之奇至於如此釋迦與老子
雖玄奇過萬世時人未知其的每所化處宫室殿閣與國
相齊人民焚香叩禱無時不至二教初顯化時所求必應
飛悟有之於是乎感動化外蠻夷及中國假處山藪之愚

民未知國法先知慮生死之罪以至於善者多而惡者少暗理王綱於國有補無虧誰能知識凡國家常則吉泥則誤國甚焉本非實相妄求其眞禍生有日矣惟常至吉近代以來凡釋道者不聞談精進般若虛無實相之論每有歡妻撫子暗地思欲散居塵世汙甚於民反累宗門不如俗者時刻精至也

誦經論

暇遊天界入寺聞鍾且經聲嘹亮正行間遥見長老持鑪而來少時詣前禮畢朕問和尚彼中撞鐘擊鼓香烟繚繞經聲琅然必好善者送供以飯諸僧乎長老對曰近日並

無飯僧者朕又問長老既無飯僧者諸人止可寂寞面壁以觀想爲然何故周旋精舍衆口喃喃長老曰僧之所以諷經者恐有過失誦之不過釋愆耳朕既聽斯言忽然嗟嘆噫愚哉豈不聽解之差矣所以僧多愚而不善民庸頑而不良以其悟機錯矣且佛之有經者猶國著令佛有戒如國有律此皆導人以未犯之先化人不萌其惡所以古云天下無二道聖人無兩心名雖異理則一然以朕觀之佛所以教人諷經者有一若談經談法化愚者必琅然其聲使觀聽者解其意而善其心所以不慮其意止諷誦之若自欲識西來之意必幽居淨室使目誦心解歲久而機

通諸惡不作百善從心所至於斯之道佛經豈不大矣哉利益甚矣豈有誦經不解其意止顧口熟心懷惡毒每歲月以來集業深重自知非禮却乃誦經以欲釋之可乎譬猶國之律令所以禁暴止邪皆出之於未犯之先乃救狂惡而生善良者上自三皇以至于唐宋元列聖相傳觀斯之道豈不天地者歟或曰民有善誦律令者如流朕將爲識其意不墮刑憲又知却乃眞愚夫愚婦徒然誦熟罔識其意忽一日有奏朕曰民有犯法者摑父凌母考之於律諸犯者重莫過於此臣將施行其犯人親屬即律成千誦聲琅然有此知律善諷者以此爲贖罪臣不敢施行特來上

闡幸望宥之朕謂奏臣曰古者帝王立法令所以申明之律所以戒責之一定不易之法民有知而不善者法當尤重安有贖焉經云五刑之屬三千而罪莫大於不孝雖古聖人亦惡其惡朕薄德之見安敢易古人之法歟佛猶人人亦佛性也既有違背經戒之徒在佛必律之以深重禍慫安肯釋宥者於戲愚至於酩酊之酣撼之而不醒濁至於大河之流澄之而不淸愚哉愚哉可不修悟之

拔儒僧入仕論

丈夫之於世有志者事竟成昔釋迦爲道不言而化不治而不亂仲尼亦云西方有大聖人然釋迦本同于人而乃

善道若是斯非人世之人此天地變化訓世之道故能善世如此且諸羅漢住世應眞幻化不一亦此道也或居天上人間以朕觀之若此者不可多釋迦安可再生方今雖有僧間能昂然而坐去者不過幻化而已卽目修行之人皆積後世之事或登天上及人間好處以此觀之遐邇之道時人不分假如方今天堂地獄昭昭于目前時人自不知耳且今之天堂若民有賢良方正之士不干憲章富有家貲兒女妻妾奴僕滿前若仕以道佐人主身名于世祿及其家貴爲一人之下居衆庶之上高堂大厦妻妾朝送暮迎此非天堂者何若民有頑惡不悛及官貪而吏弊上

欺君而下虐善一旦人神見棄法所難容當此之際抱三木而坐幽室欲親友之見杳然或聞法具臨身苦楚不禁其號呼動天地亦不能免必將殞身命而後已斯非地獄者何其天堂地獄有不難見也爾眩嚴韋等堂堂儀表已入清虛之境若志堅而心永則樂清風于翠微深處吟皓月于長更嵗覩山嶽之青黄目百川之消長雖咫尺紅塵而乃一塵不染障礙全亾非獨將來有窣陀之登一方今寂寞之趣比俗者之無知舍可行之道而竟趨火赴淵其天堂地獄豈不兩皆邇耶若僧之不穀兼通漏未具宿本無縁加之累惡積愆豈異俗者趨火赴淵之愚者矣爾必

欲異此道而傑爲須知利害之兩端然後從之所利者居官食祿名播寰中若欲高名食祿同君不朽必持心以義練志以忠佐君以仁夙夜在公無厓下而罔上乃得利貞斯利也若視祿之少見贓之重如淵底之魚聞餌而浮吞鈎于腹此其所以害也朕今以天堂地獄之由示之於爾爾當深思熟慮剖决是非然後來朝則當授之以官未審恍乎若果恍而仕則虛名泯而實名彰其丈夫之志豈不竟成哉

宦釋論

古今通天下居民上者聖賢也其所得聖賢之名稱者云

何蓋謂善守一定不易之道而又能身行而化天下愚頑者也故得稱名之其所以不易之道云何三綱五常是也是道也中國馭世之聖賢能相繼而行之終世而不異此道者方爲聖賢未嘗有舍此道而安天下聖賢之稱未之有也所以世人于世善獲生全者託以彝倫攸序乃爲古今之常經於戲於斯之道聖賢脩而守行之不亦善乎斯道自中古以下愚頑者出不循教者廣故天地異生聖人於西方備神通而博變化談虛無之道動以果報因緣是道流行西土其愚頑聞之如流之趨下漸入中國陰翊王度已有年矣斯道非異聖人之道而同焉其非聖賢之人

見淺而識薄必然以爲異所以可以云異者在別陰陽虛實之道耳所以佛之道云陰者何舉以鬼神云以宿世以及將來其應莫知所以幽遠不測所以陰之謂也虛之謂

也其聖賢之道爲陽教以目前之事亦及將來其應甚速稽之有不旋踵而驗所以陽之謂也實之謂也斯二說名之則也異行之則也異若守之於始行之以終則利濟萬物理亦然也所以天下無二道聖人無兩心其佛道之初立也窮居獨處特忘其樂之樂去其憂之憂無求豪貴無藐寒微及其成也至神至靈游乎天外察乎黃泉利生脫苦善便無窮所以當時之愚頑耳聞目擊而效之今世之

愚頑慕而自化之嗚呼不亦善乎吁艱哉今時修行者貴乃
是道而行之何以見反是道而行之方今爲僧者不務佛
之本行汚市俗居市廛以堂堂之貌七尺之軀或逢人於
道或居菴受人以謁其所謁者賢愚貴賤皆有之必先屈
節以禮之然後可然修者以此爲忍辱之一端耳若以堂
堂之貌七尺之軀忍辱于人將後果了此道何枉辱也哉
若將後不能了此道其受辱屈節果何益乎况生不能養
父母於家死無後嗣立姓同人于天地間當此之時如草
之值秋遇嚴霜而盡槁比木之有叢凌風寒而永歲月使
飛者巢顛走者窩下惜哉惜哉不亦悲乎今之時若有大

至智者入博修之道律身保命受君恩而食祿居民上而官稱若輔君政使冤者離獄罪者入囚農樂于隴畆商交于市廛致天下之雍熙豈不善哉博修之道乎陰隲之後益乎今之官吏者不然往往倒持仁義酷害良民使民視之如蛇蝎之附體蚊蚋之吮身無敢敬之前有畏避之却安得不惡聲四出顯于後乎若欲聖賢之名稱僧之行立不亦難乎

鬼神有無論

有來奏者野有暮持火者數百候之倏然而滅聞井有汲者驗之無迹俄而呻吟於風雨間日悲號于星月有時似

人白晝誠有應人而投石忽現忽隱現之則一體如人隱之則寂然杳然或祟人以禍或佑人以福祈數狀昭昭然皆云鬼神而已臣不敢隱謹拜手以奏時傍人乃曰是妄誕耳朕謂傍曰爾何知其然哉對曰人稟天地之氣而生故人形于世少而壯壯而老老而衰衰而死當死之際魂升于天魄降于地夫魂也者氣也既達高穹逐清風而四散且魄骨肉毫髮者也既仆于地化土而成泥觀斯魂魄何鬼之有哉所以仲尼不言者爲此也曰爾所言者將及性理而未爲是乃知膚耳其鬼神之事未嘗無甚顯而甚寂所以古之哲王立祀典者以其有之而如是其於顯寂

之道必有爲而爲夫何故葢爲有不得其死者有得其死者有得其時者有不得其時者不得其死者何爲壯而夭屈而滅斯二者乃不得其死也盖因人事而未盡故顯且得其死者以其人事而盡矣故叙此云略耳且前所奏者其狀若干皆有爲而作何以知之但知之者不難矣且上古堯舜之時讓位而君天下法不更令民不移居生有家而死有墓野無鏖戰世無遊魂祀則當其祭官則當其人是以風雨時五穀登灾害不萌𤯝沴不現此之謂也自秦漢以來兵戈相侵君臣矛盾日爭月奪殺人蔽野鰥寡孤獨於世致有生者死者各無所依生無所依者惟仰君而

已死無所依者惟冤是恨以至于今死者旣多故有隱而有現若有時而隱以其無爲也若有時而現以其有爲也然而君子小人各有所當以其鬼神不謬卿云無鬼神將無畏于天地不血食于祖宗是何人哉今鬼忽顯忽寂所在其人見之非福卽禍將不遠矣其于千態萬狀呻吟悲號可不信有之哉

明施論

朕嘗觀世俗善良者慕佛敬僧於心甚切往往大捨布施傾心向道意在積功累行欲目前之福臻身死不墮地獄亦欲延及子孫者也觀斯之善豈不良哉柰何認僧差矣

爲何盖爲聞僧善者及住持名寺加衣鉢整齊者往往廣與布施若善者果有微覺則將所得之物轉與貧難者於前好善者頗相增福若不知覺集之無窮則禍增而福減若住持名寺者廣得布施貧難不濟與同黨類私相盜用非理百端寺頹而無補于前好善亦加禍焉于斯之道好善之心固篤布施之心甚差若善人欲功德延及子孫者當捨物于力修之僧然後方有功德足慕道之心所以力修之僧者誰隆冬之時衣服頹靡疊膝禪房慕如來六年之苦行意欲了心性以化世人皆同善道雖嚴寒肌膚爲之凍裂雖酷暑蚊蟲爲之吮血亦不相告若出禪房遊市

并使俗人見之則衣頽而形槁故所以世俗耳目無所驚眩不得布施耳嗟夫以此僧之狀以好善者求佛雖眞佛臨世化爲力修僧人亦不爲凡夫所識朕所以言者令好善者濟貧而不濟富無名者愛之有名者敬之其福將源源焉

修教論

佛之教上古未聞惟始自周之時方聞異人生於西域其人也淨飯國王之子旣生旣長觀世人之禍福覩日月之昇沈見人之造非也如酩酊之醉未醒如中嚦醄而未覺以致罪重危山愆深曠海愈墮瀰漫無由自釋佛因是而

起大悲願心立忍辱苦行之法門意在消慾而息禍利濟羣生時乃登雪嶺而靜居觀心省性六載道成及其歸演大乘雖有二千五百人俱人皆未解幽微佛見愚多而賢少改演小乘之法使昏愚者聽之如醉而復醒睡而還覺人各識禍而知慾惟修善而可弭嗚呼佛之心爲世人乃有若是之舉吾中國聖人有云天命之謂性率性之謂道修道之謂教今聞佛有二乘之說豈不修道之謂教乎今之人罔知所以修道教人之何如乃有廢道積慾之舉更不知存心何如邇聞天界寺住持者每晨昏則儀有向諸佛之禮所以禮向者則當徒步周旋頂禮方爲敬敬之道

而各修道之行也今是僧懶于周旋不敢越向佛之傍故廢修以行之特以轎令人舁之周旋于諸佛之前于禮未宜于勤苦不當若以令後人法之斯乃率性者歟修道者歟若以此觀之必失修道之謂教矣可謂廢道積愆矣俄而有來告者昨晨天界住持向佛瞻禮墜轎以折足數日不聞鍾鼓之聲虛堂廢法因是而致吾有嘆嗚呼昔禪之謬儀積之今日方應可謂定業難逃矣果報昭然矣今後若欲同佛之修則當苦行勿華勿勞人以自逸乃稱斯道不然愆重危山禍深瀰海于斯效驗可不警戒之哉

說

賜宗泐免官說

世人災害有三往往皆不自知故其災害周流方寸間日夜無息古今未嘗有能盡去者所以釋迦成道教化衆生指迷破昏乃云災害之三者曰貪嗔癡斯三者孰能不備孰備而不殃所以古今不備者聖人是也雖備而不殃者賢人是也洪武九年春遐遊天界見住持僧宗泐慱通古今儒術深明詢問僧之苦行本面家風果何幽靜傍曰是僧動止異常因識儒書大知禮義又非林泉之士於是朕命育鬚髮以官之當時本僧姑且奉命而不辭待至髮長數寸將召而官之其僧再辭而求免願終世於釋門吁難

哉世人之於世誰不欲富貴妻子名彰於世者歟今是僧却富貴弗美妻妾可謂三害之中善却一者歟人將謂是僧生性淡薄有是歟抑玄悟之有知而若是歟不然其僧生性淡薄玄悟不可以言貌而見蓋丈夫之氣初志不奪斯僧是其人也特聽而免官放老山林其世之三害僧不爲一害所逆妙哉

佛教利濟説

釋迦之爲道也惟心善世其三皇五帝教治於民不亦善乎何又釋迦而爲之蓋世乖俗薄人從實者少尚華者衆故瞿曇氏之子異其修異其教故天假其靈神之是説空

比假示有無之訓以導頑惡斯成道也今二千餘年雖有慕道者衆踵斯道者鮮矣然而間有空五藴寂憎愛度世之苦厄者有之此所以佛之妙或張或歛斯神也巨則靈通上下微則潛匿毫端是故聰者欲得杳然愚者無心或有善之其故何也所以天機之妙人莫能與知設使與知則人與肩也奚上之而奚下之耶且佛之教務因緣專果報度人之速甚於飄風驟雨急極之而無已人莫佛知今之人愚乃曰佛善超生度死朕嘗笑之所以超生度死朕嘗分析愚誰我知妙哉佛之靈人能生肯爲善則死亦昇矣設使生弗爲善死亦弗昇豈不定業者歟夫何時人不

知修持之道頑者棄而爲者曠獲宗旨者少縱得之者甚微若時人知修持之道以道佐人主利濟羣生其得也廣若量後世子孫其福甚博所以者何蓋濟衆則衆報之其修身者否濟衆一身而已云何巨福之有哉

僧道衡說

公私利涉古今不異之謂道辨輕重分毫釐國行民用市無爭者今謂衡其道衡二字凡達人智者不可不深究其理焉且道卽路也昔聖人允執之性無所名特以曠大永長之事配而言之故以道稱夫衡以權合之法布天下雖至巧者無所施其姦至愚者憑此而不惑所以衡稱昨逢

越中沙門自號道衡於斯二字甚相符契於戲心常履道而不迂性常如衡而不曲道哉衡哉不亦美乎

鍾山僧妙雲說

善出無心之謂雲善歸無跡之謂妙此果雲乎妙乎吾聞鍾山有僧以妙雲爲字良哉斯僧非知理之必然安善稱耶僧本侶影空山儔燈松底吟清風翫皓月捫巳探淵有時觀浩氣於層霄之外是果拘四大而修耶忘形而鍊耶是論是議爲衆僧之所以又非着象於妙雲者也且雲之妙倏然而靄恍然而靜須臾神乘龍駕雷霆山蒸海湧見如是之態雲之體也鴻濛寰宇霶霈下注山川槁醒無形

而形有形而化功成而寂杳然莫知其所以人以爲奇吾嘗以爲妙者乃爲雲所生耶雲爲妙所出耶是謂空者言虚實者云妙其妙雲之説無乃僧若是乎

僧道竺隱説

僧之姝俗者去姓是也務立字爲名爾以道竺隱稱自以爲奇孰不知色界之道無盡法界之道無窮斯道幽乎顯乎有相無相曲如羊腸一縱一横誠如十字又若弦在雕弓其世之君子小人故有馳之異同令爾擅道名可謂志矣且竺者西域之國名也我中土智僧此立爲佛刹爾云於此而隱其道承如來之教乎説者如來成道時放眉間

白毫相光照大千界，指迷破暗，利濟羣生，豈不彰之顯之，爾乃以隱自任，何也？且隱者匿也，吾所不取。至智人明其道，幽其德，名彰不朽，果隱其道，則不許。然嘗聞聖人有云：德不在彰，道不在顯，終日乾乾。汝若是乎？若此，後必了然哉。

僧玘太樸說

僧多捨俗，惟立字爲名，何也？以其法殊，人主之教故也。邇來有僧用三字爲名，曰玘，曰太，曰樸。且玘，玉之至精者也。太，無上之巨也。樸，實而不虛，混而未鑿。斯三字之用，果如是乎？若是，則仁者體之。又何爲而不可哉？今僧用斯三字理道深長機根淺露者莫可探其趣君遇良工必由雕琢而方見其形也昔如來朴太虛混厚坤故發問於未判之先孰雕琢而使溶淸列無量之象於穹壤七曜運行其間布海岳於鴻龎百川東注此由太樸而至穹窿果理之使然氣質之變焉吾聞智者云混沌靜久而乃此今僧捨俗認朴必釋教之然哉

天界寺花架説

暇遊入寺長老同行見綺砌爲檻中植薔薇而又竹木架之工以編之屈蟠龍蛇之狀令不得曠蔓枝莖因之有感嗚呼甚哉違大化恩不及草木必有積焉朕嘗目種花之

徒務以奇爲妙故屈蟠其枝莖以招買花者也然其人智巧多端身不滿三尺朕謂花者曰爾生計若此家傳否曰然爾身若此亦家傳否曰三世矣吁愚哉人云世有陰騭然後獲昌所以陰騭者利濟羣生是也不但不殺而爲陰騭但能惠及草木亦陰騭焉若使草木不得自然而乘大化之興尤爲損德必成將來之患矣其佛會之中雖有持花獻果者正所以不花而花方爲聖人之妙若植其根節其莖蔓使疎條巨葩朝夕樂觀不惟損德必有愆於身後因詢種花之徒有感特述寺脩花之説

僧犯憲説

佛之立教也惟慈以及衆身先忍辱所修者諸惡不作百善奉行斯佛出世始此因由於西域五天竺國賢愚敬之無有慢心五百年然後流傳中國賢信愚化又二千年其間智人亦因是而通神者有之有流此而無終者有之然凡居是者必忿憎愛去貪嗔却妄想雖不前知亦也效佛之宜洪武十一年秋八月天界有僧訴於中書其辭曰爲主僧者非理辱甚中書下刑部究其源其罰觀形狀識緣由自妬忌而起信讒而亂以致禍消福增累及平人若干比問分明人各受刑矣於戲禍福無門惟人召而速至僧不務脩造愆而犯憲法司論如律宜哉

序

習唐太宗聖教序

乾旋坤寧覆載物以無窮其常經以四時鑑見榮枯雖目前之易省化機之運上古之哲能奚備知其的然榮枯隱顯陰陽見之易解及其大造者乾爲陽而坤爲陰所以難窮其至微以其不知其本源也設若有實之可稽縱是癡愚者亦所不疑所以至微形隱人莫測窺其哲能不得無惑況如來之教指實言虛因空談有化及萬類善被諸方現千百億態罔有上下鴻濛其靈寰宇是塞斂之則毫釐潜蹤示生死之俱無幾風霜而不腐其斂其張臻洪休於

斯時覺道而幽靈效之者奚知其垠玄傳寂寞稽莫知之本根致使德小而量薄者窺探旨趣能無他論者哉然泄法之肇根於西域顯金身而會漢帝於夢中獲演流於東土曩因化形迹之時不言而化示不生不滅民不教而治及雙林之有故金色是藏歛光不鏡時又畫像而舒形金容示現妙音傅被拔苦趣於幽冥遺教遐荒濟萬類於三途故眞妙之難瞻不易能於一旨傷謀他術雜正法以紛紜致使色空之比假不無有謗三車之覆馳沙門玄裝者釋氏之領袖也生而慈敏棄親以明心狀而舉動皆契善符堅持忍辱碧潭印月暑夜松風難同其清潔玉露野田

未比其膚潤方寸將及無礙諸漏彷彿其盡久必躡昂霄而凌烟霞單萬歲而無雙歛成靜觀傷大教之傾頽歎文繁之差謬欲定眞析僞以滋學者之誠故延頸西土孤節廣漠履險隻征朝飛凝雪以迷空生逕難分夕風浩瀚走黃沙以幕川孤進前蹤冐氷霜而侶影幾楊柳之靑黃皆途中之數覩求深願重至勞猶精遍五印之寶刹越恒河之渡立雙林之陰洗鉢八水登雞足之巒禪鷲峰之大會受直指於心歸演洪音如瀚海之波瀾經分六百譯布中華闡揚奥典宥罪釋愆臻善良於百福其玄如日中之掛影水底之捫月潔若靑蓮出汙泥之不染猶桂芳秋蘂者

浮室野之聲慈航業海倏渡滄溟體天之造日月之明大哉之無爲奚可論乎

心經序

二儀久判萬物備周子民者君君育民者法其法也三綱五常以示天下亦以五刑輔弼之有等凶頑不循教者往往有趨火赴淵之爲終不自省是凶頑者非特中國有之盡天下莫不亦然俄西域生佛號曰釋迦其爲佛也行深願重始終不二於是出世間脱苦趣其爲教也仁慈忍辱務明心以立命執此道而爲之意在人皆若此利濟羣生今時之人罔知佛之所以每云法空虚而不實何以導君

子訓小人以朕言之則不然佛之教實而不虛正欲去愚迷之虛立本性之實特挺身苦行外其教而異其名脫苦有情昔佛在時侍從聽從者皆聰明之士演說者乃三綱五常之性理也既聞之後人各獲福自佛入滅之後其法流入中國間有聰明者動演人天小果猶能化凶頑爲善何況聰明者知大乘而識宗旨者乎如心經每言空不言實所言之空乃相空耳除空之外所存者本性也所以相空有六謂口空說相眼空色相耳空聽相鼻空嗅相舌空味相身空樂相其六空之相又非眞相之空乃妄想之相爲之空相是空相愚及世人禍及古今往往愈墮彌深不

知其幾斯空相前代帝王被所惑而幾喪天下者周之穆王漢之武帝唐之玄宗蕭梁武帝元魏主壽李後主宋徽宗此數帝廢國怠政惟蕭梁武帝宋之徽宗以及殺身皆由妄想飛昇及入佛天之地其佛天之地未嘗渺茫此等快樂世嘗有之爲人性貪而不覺而又取其樂人世有之者何且佛天之地如爲國君及王侯者若不作非爲善能保守此境非佛天者何如不能保守而僞爲用妄想之心即入空虛之境故有如是斯空相冨者被纏則婬慾並生喪富矣貧者被纏則諂詐並作殞身矣其將賢未賢之人被纏則非仁人君子也其僧道被纏則不能立本性而見

宗旨者也所以本經題云心經者正欲去心之邪念以歸正道豈佛教之妄耶朕特述此使聰明者觀二儀之覆載日月之循環虛實之孰取保命者何如若取有道保有方豈不佛法之良哉色空之妙乎

雜著

戒僧陶冶

道起無心誰寂滅行生積行豈無端邇聞陶冶空山内致使空山空不空着相有誰知是佛以僧實相相山間飛雲岀岫來今古巖罄幽然鳥夜啼試問獻花眞趣處曾將心地量泥犂縛菴以定山藤葛穩坐蒲團樂幾枚要識西來

[illegible]處張眸極覷巨星馳

問佛仙

佛仙有無誠如黑白惟釋迦與叱羊者能之噫道矣哉靈如是然昔人見今之聞之相傳數千年一體如斯者未覩散聖有之尚未得其傳方今凶頑是化良善契從仙乃務思凌烟霞而躡昂霄會王母於天京釋乃歛神一志靜觀玄關意在出無量刼而昇兜率志斯二事者道盈菴而僧满寺以百人爲數九十九人失道迷宗或曰陸沉其一傷曰鬼神不曳機仙有屍解佛有千百億態孰知昇沉迷失者耶爲此有慕而不絶者有毁而不滅者此豈佛仙有無

之驗哉洪武八年見二教中英俊犖然博才者衆特以二勑諭之勑以捨彼而從事傑乎捨事而從彼志乎聰愚者必皆兩圖諭由己而勑不專信乎諭爾僧道備以陳之

又

朕觀如來修行雖苦之至但六載而道成其妙覺之靈則有千百億化效之者莫知至微或得之者亦不知自何而至道祖老子神仙繼之或幻而或眞神通盛效之者亦莫知源何夫子之立教彝倫攸敘效之者可以探其趣誠如夫子者鮮矣於斯三者可以興滅乎

還經示僧

昔誠之說如金經千萬刼而不泯若或見之則沃聽者之槁心開愚昧之方寸嗚呼道哉覺哉孰能體之而無上守之而無爲斯二字之所以然而然者其於漏盡者乎斯誠之說如浮雲之馳空若漚花之汎水電影之逐風睡酣之幽夢斯果虛之謂歟實之謂歟然必先覺覺之後覺然之又將愚昧而疑之嗚呼清風搖水蟾影沉淵孰能機其所以然耶且曩之妙也赤日昇崑崙神龍浴滄海是又體之而非體相之而非相是皆着相而能耶無相而智耶又必我相人相而較之豈不廓落奔星靜淵臨月是說是問必九年之傳善我明不然風翻月影倒掛須彌問石爲舟千

艘浮水巨木連枋作大海底是皆性理者耶

拔儒僧文

朕聞三皇五帝夏商文武之治天下分民以四業曰士曰農曰工曰商凡四者備天下國家用無闕焉列聖相傳至漢之明帝又加民業以二曰釋曰道六藝雖各途惟釋道同玄儒雖專文學而理道統其農工商三者皆出于斯教至如立綱陳紀輔君以仁功莫大焉論辭章記誦儒者得其至精苟非其類而同其門未必得獲至微且農勤于畆者歲成工乃時習而巧精商能不盜詐而利本俱長今之釋道者求本來之面目務玄晤之獨闢至妙者隻履西歸

飛錫長空笑談定往化兇頑爲善默佑世邦其功浩瀚若

空寂寞忘嗜欲絕塵事者莫探其至玄未聞農工商釋

道者精于儒正默論間俄而侍講學士宋濂言及有僧名傳者儒釋俱長邇來以文求臣改益臣試開展過目篇篇有意文奇句壯奚啻于專門之學臣故不益而不改以全僧之善學者也臣昧死敢煩聖聽誦之再三可知其人矣朕是許之不時之間學士以誦再三聽文思意果如濂言然僧所以求改益者非也其文深意曠非久覽豈得其本源朕知僧之意有所精學卒無揚名之處故特求名儒以改益之由此而揚名欲出爲我用濂曰恐無此乎朕謂濂

曰云何如是觀人古賢人君子託身隱居非止一端如甯戚扣角百里奚飯牛望釣於磻溪徵隱于黃冠此數賢能者未必執于本業而不爲君用朕觀此僧之文文華燦爛若有光之照耀無玄虛弄假之誑語句眞誠貼體孔門之學安得不爲用哉

空實諭

目世浮沉皆是幻幻生幻滅患相從幻出無端患長着患遍無知無有錯理幻幻身身患患若將無有更何之師空法外無方任再覓端倪孰擬知好向道中閑自在肯將鐵索易羈縻只因魔甚云心地未必師知必我知不識有人

還是覺驀然一笑脫泥犁

遊寺記

朕因憂慮既多特入寺中與禪者盤桓暫釋繁冗之一時入寺既行凡所到處無不有佛及至方丈平視兩壁皆懸水墨高僧凡四軸六人一軸三禪海水一軸了經松下一軸撫鹿溪邊一軸樂水於巖前嗚呼住持者志哉所以設此意在感動心懷堅立寂寞之機甚得其宜也何以見之如三禪海水者其海瀰天飛浪煙海四際其高僧凝然舉麈而揮趺足而坐可謂奇矣動修者一也又了經于松下對月于昊窮可謂清之極矣復有一僧前撫鹿于溪後山

神以密護可謂行至矣又坦然而無慮樂然而無憂樂水于山根可謂寂寞而已斯四軸六人足可堅修者之心朕爲斯而樂至暮而歸餘月復至寺由東廡而入見畫像啚形皆男女夾雜濃梳艷裹者紛然將謂勤小乘而堅大乘也徐至苑中見有數架修上薔薇朕亦謂非宜也少時憇方丈顧左右壁亡其前日所有高人四軸不覺興歎矣何哉所以歎者不惟盡於薔薇不合有而有四軸高僧當懸除去皆非所宜故興歎息焉

靈谷寺記 文見本寺

遊新庵記 文見靈谷寺

工部侍郎黃立恭完塔記　恩寺

僧智煇牛首山庵記文見本寺

祭保誌法師文

昔者師能出世異人性備六通景張佛教使兇頑從化善者愈良及其終也擇地于鍾山之陽陰其宅而居之經今八百六十七年今朕建宮在邇其爲師焚修者俯而視之因勑中書下工部造浮圖於山之左今將完成徙師於是於戲漏盡毋生人我刼終勿墮塵埃惟師神通尚饗

祭道林真覺普濟禪師文

惟師慧悟見機變化神妙道德高邁振揚宗風鍾阜龍蟠

炳然靈跡季春届序爰遇誕辰明薦奉陳洋洋如在

祭左講經如玘文

嗚呼業海茲茲濟彼岸者鮮矣爾如玘駕般若舟舉楞嚴棹建覺圓檣假華嚴風揚火集帆昨朝柁寬帆飽倏焉彼岸噫果操舟之善耶爾如玘冐風濤而有此耶今業海爾濟舟楫猶存孰備善爾舟傲風於業海如斯濟岸孰不曰乘爾某之舟有此之濟非獨如是其拯溺者既多朕觀營般若之舟施普度之道豈徒然哉今也期當空相絶迹去來所有素羞爾其享焉

讚

毗沙門天王讚

北天有門衛護何雄被堅若是托塔幾重兜鍪隆髮示異帝戎外張威武内實禪翁

蓮花菩薩讚

菩薩大慈悲辛澄展法威足躡無垢輪熾焰長輝輝四相具不具儵忽如雲飛

佛母讚

非宿有緣非千萬劫前德無瑕垢尊妃飯天王子至空白象周旋惟佛母聖化及大千

維摩居士讚

獅子座中花葉遍厨間香積味新鮮誰人問病躊躇去鐵馬嘶風牛策鞭

華藏世界讃

室芥子眠匿粟是恬惚恍其上周遊諸天宜乎其降化被三千

又

華藏世界全市中買物食且甜有誰期我相周旋朝抵暮歸非牛非馬非船

瑞光塔讃

大智力人性定心方穩首陵穹脊骨純鋼瞑目而逝餘灰

塔藏信有之乎靈明常存午夜放光

禪海羅漢讚

爾怪且玄海氣如煙拂塵蕩垢鼎足而禪薄天飛浪何處宿緣宜哉尊者處危自然

十六羅漢讚

第一

爾惟務道道亦何知仰天俯地榻下一枚

第二

寂寞空山扶策藤牀篆煙終日神機密藏

第三

極目太虛氣吐而噓了知天外錫杖龍舒

第四

大哉癡獃日近蚖蛇豌蜒倏忽濃雲被遮

第五

脱鳥跣足不愛茅屋露坐觀天法外撑船

第六

道高氣豪西旅獻獒對月了經如海汎濤

第七

情愛淸風心翫明月終夜露立何時了歇

第八

謂爾心專天人請前羣魔逐退道孰可傳

第九

海氣盈虛爾步且徐隔岸招來猶愛吾珠

第十

倚松目猿問宿有緣閒中日月鉢内水天

第十一

童子戲禽道者休禪忘觀想地鶴舞青天

第十二

巳授巳接對偶而悦是法平等亦復何說

第十三

松下閑禪已幾年頓忘幽寂意喧喧出塵不用論今古樹底清風爽不眠

第十四

異哉樂天厖首皓然倚樹而定觀空幾年

第十五

心善而權旌旗烈烈天護神從後撫虎而前

第十六

宿脩萬行寒巖默用知幾千刼人何曾動清磬一聲幻出如夢

板的達頂相讚　二首

噫誠意精專駕般若船碧浪千堆海氣如煙檣傾艣轉[illegible]爾宿緣噫危乎艱哉驀然際岸紅日當天

又

噫張目神樞電繞太虛瞑目神潛匿毫無餘噫快哉疊膝任爾爲愚

王亨十六羅漢圖讚

一

噫意若相應心淵已澄南閻浮提以書以徵

二

侶杖空山閱浩穹頑篆烟終日方寸幽閒

三

跏趺疊膝侍以戎客仰目遙蒼倚錫無息

四

計珠誦經靈蛇詣聽恍然有覺化龍而騰

五

目瓶内花大般若佳去來無跡孰爲幻化

六

靜修已佳不已而誇動人獸智獅子獻花

七

常云無心何不彌深耳聞目擊行藏若尋

八

理道深心座下羣陰意操岳浪聲太古琴

九

怪哉尊者飛水海瀉神龍戲珠取捨般若

十

倚松目猿足下猙眠人物忘機互恍而前

十一

調鶴空山倚錫而閒形勞神靜就裏無煩

十二

顧偶而言滁徐以鮮本無塵垢志脫霞烟

十三

童子烹茶火内蓮花云何是說數曠河沙

十四

麋鹿有知尊者如癡志在叢木必待以時

十五

風生草偃虎非豢犬意何大哉術出凴典

十六

身定神行境入太清鍾磬一聲忽然而醒

吳道子降聖圖讚

歷無量涉阿僧祇色界凡世界聽不巧拙最不癡相以致

漏盡無礙大覺宏施皆雪嶺之苦行幻出幻生幻滅幻起百億之態不爲之廣寂一毫而不爲之簡善矣哉化矣哉大覺金仙爲吳生之圖相不出三界間誰識此聖凡者歟又博變者歟孰是孰非云何水月風搖隔窓審的奚由然耶有相無相而爲定者乎

天王圖讃

披堅戴冑神驅電睟風生足下衞護天遊

吳道子釋迦出山像讃

一流水行慨然如鍾坦然無威蕩然無爲神通三界脫苦怘危

讚五十三參

幻色幻空空幻色幻情幻欲幻無端始幻幻從何幻起幻生幻滅亦何知爾幻幻時皆是幻幻終幻始總何爲幻住幻流眞幻輩幻前幻後更依誰此幻非眞他幻寂纔云寂幻幻方生人生始世皆從幻幻了無爲在幻中幻去復來幻是夢無言幻夢幻悠悠智人識幻方知幻知幻由來心不倮

詩

天竺僧

比丘乾竺來情思朧禍胎去鄉十萬里飛錫不塵埋宵晝

觀孰大無時不常懷志立無上等必欲精神諧忽然觀身影影乃與身偕若欲離塵垢將影與身排再觀世萬物有形必影該尋思欲解分似乎與理乖空寂如是說咸將貝葉開論影始太古至今尚猶猜日午難迴避臨水見眉腮月下偏分曉愚云似惟哉智人果解分禍胎兩忘災或說身裁影亦曰影身裁顛倒論常世倒顛日日俳觀倦身意馬勞心猿似豺到了難分去從伊子細差閉門終不見出戶倚身牌有時定玄機俯仰何根荄祖佛何如定影子在塵埃爾昇從爾上爾降從爾階躊躇從躑躅穿履亦穿鞋反復誠難避簪花猶插釵虛實誰參透天廚一供齋八萬

四千戶閭閻邇謝臺鷄犬聲無異莊周化骨骸漆園曾作吏槐國已知槐幻中生幻夢幻影與身衰影幻身亦幻何時有壯衰若欲常寂靜百骸與之齊智慮渾忘却天然似嬰孩

賡僧韻

天台五百尊方寸皆明月月影彌千江何曾有暫歇爲斯妙用通今古長不滅昔當懸挂時誠非凡可越任世及應眞幾度阿僧劫假錫作梯航泛海濤如雪一旦杳無蹤暫與沙門別儵忽羣禪中孰能爲機泄禪心曠無跡如海亦何竭僧本具他心宗門常合轍

善世禪師遊方歸朝

前年拜辭去今春二月歸未聞湖海濶但見禪師輝踏雪來朝覲家風祖佛規默坐各無語方寸究徘徊櫻花纔臉笑柳眼正舒眉獨翁任清淨愚俗多險危姦猾不善死到處冢纍纍爾心鑑此患棄家永不囘年年嘗作客如蓬被風吹哀憫自天佑仁深久必爲切記無住相與佛莫相違

寶光廢塔

寶塔摩青蒼招提歲久荒秋高棲俊隼夜深月影長寂寂星搖蕩飛霞入棟梁守僧都去盡螢火作燈光鬼哭思禪度遺經風日張獨有來巢燕呢喃似宣揚停驂傷古意雲

合草頭黄聞説當年盛鐘魚徹上方

賫僧錫杖歌

由來震旦始乾竺扶老應須棲此杖鈴鈴琅琅妙且奇撼振一聲空谷響或時化作飛龍威長空如水何相持有時比量論端的方覺玄關顯現時志悟未通心委曲鴻濛渾沌同塵俗驀然一悟淩烟霞覺此覺他方意足神眸昭昭衆生顧隱隱微微如法故每擔日月猢猻藤簞食由來飽祇樹

御製山居律詩十二首賜靈谷寺左覺義清濬

凮中禪起詣山房靈谷山高志可當四壁遠氏塵俗杳山川近水世機忩崇朝榻外香烟裊終夜堂前燈熖煌從此爾僧公案悟邯鄲何必問黄粱

二

市起高僧屋翠微一靈派寂入重嵬松森蓊鬱陰濃道澗曲潺湲聲繞扉有客上門羅織叩無端舉杖作成威此時解得黄龍法自在巖前碧眼機

三

誰謂山僧運化工山居眞箇得從容調猿樹底觀玄鶴翫月淵中悦白龍香熟地爐茶一盞嫩肥銅鼎笋三鍾叩禪

若解岩前趣皓首龐眉振祖風

四

出塵大隱寓崇巔去盡人喧聽鳥便雲去雲來山寂寂嵐生嵐没采鮮鮮洞門鬼哭求哀懺湫底龍吟乞化全如是任來經幾刼因風熾火力何先

五

僧屋雲山事事便蕨薇輕取勝農田黃精雨長堪僧奠紫芋雲埋供佛筵茶竈頻煨風聚葉飯堂勤集道催禪玄猿夜嘯峰頭月淸興忘機傲歲年

六

蒙茸隱道女蘿懸太古岩前一老禪髡月就溪臨碧水調猿環樹仰青天雙親鞠育歸何日五祖窺覘已有年欲識住山人自在除非宿債並無愆

七

侶影山間興趣幽竹雞聲斷悟禪由山房夜月明心鏡水國宵燈照衲頭崖柿熟甜須九月溪芹味美必三秋忘塵思入重嵬逈道備咸稱釋氏流

八

孤寂山根近釣磯神魂悽愴命難依都言避厄深幽隱本爲離凶出險機晨爨必蒸山蕨嫩午炊須熟水芹肥天然

不待勞筋力方識稽源道甚微

九

谷居幽趣景偏多明月山房夜半過白日嶺邊岩鹿呌黄昏水際野猿歌精魂慘淡無從侶神思躊躇柰若何性定擬看華藏景欲生飜作萬般魔

十

至性從來隱碧蘿林泉深處任蹉跎烏啼春樹笙簧語漁放秋江櫓棹歌落魄有情知就裏從容無事見娑婆巖前苔合初由徑門外風堆槲葉多

十一

潛踪匿跡但優游世事從來豈究頭整日懶除堦下草將燈倦點壁間油烟封谷口聽樵語雲鎖柴扉聆鳥啾甲子未聞恁歲月巖前墜葉始知秋

十二

躡雲深入萬重山回首烟村遠世間初夜不聞三弄引五更惟覺四時寒天香馥郁盈禪悟月色精英照影閒比似市塵車馬集此心無事與相關

雪山寺

極目遙岑起曉烟深埋凝雪梵王禪氷枝老樹彌千壑衲被蒼僧布法筵爲羨浮生貪着處好將空寂化遞遷六年

嶺際今猶見行致天花覆八埏

僧目空山

孤寂淒淒一徑微處心應與世塵違朝觀松鶴摩天去暮見叢猿挽樹歸瓶水一爐香滿座錫鐶丈室氣盈衣空山僧對知何日化作蒼龍挾雨飛

命板的達穩禪

居山本是出塵埃何為遊人役已骸晨坐巖前觀日上暮禪松底聽風來從教市巷笙歌美莫羨閭閻酒肆諧十二時中香裊篆迎來送往更毋開

思遊寺

雨落黄梅麥已秋日思精舍夢還遊晨昏幾度經鍾聽巖
壑雲生出野樓

老禪紙帳

樓閣崢嶸半倚天老禪紙帳晝酣眠精魂惟識黄龍劒定
省還知叩玉泉

寺掩山深 二首

絶跡高人隱翠岑山連疊嶂白雲深欲經無覓通人處時
忽林風送磬音

又

見說山中了道僧不聞鍾鼓不聞經朝觀樹頂香煙裊暮

識禪機一鏡明

雲山僧寺

雲籠紫翠槩鴻濛洞口風生度梵鐘我欲叩禪閑問道老僧心地與天通

鍾山僧寺賡單仲右韻三首

遊山必是叩僧禪聞說神僧透宿緣山果玄猿擕綠樹方知入定是金仙

又

精藍幽谷寺嵯峨風過松聲韻碧波寂寞出塵天外景騷雜遯意如何

又

山勢崚嶒谷隱僧六通具足勢層層鵲巢冠頂忘機處人

夜明星識巳能

天界寺春雀

春風夜雨沐花妍曉霽簷前雀噪喧孰謂可知機裏事飄

然翁翮舞長天

賡玘太樸韻

花逢夜雨曉看妍實蕋凋時堦不喧試問老禪幽得處謂

言物外有青天

示僧謙牧

寄與山中一老牛何須苦苦戀東洲南蠻有片荒草地棒打繩牽不轉頭

不惹庵示僧

殺盡江南百萬兵腰間寶劍血猶腥山僧不識英雄漢只恁嘵嘵問姓名

附註解三篇

南京禮部右侍郎臣楊起元註

還經示僧

還反也經常也示開示也僧淨衆也常樂我淨佛之四德淨而能常猶貞而復元也時至胡元彝倫

大泯民汚夷風　高皇起而肇修人紀反經常之道於斯世借名淨衆以開示之亦以見民性本淨非夷風所能汚染也

昔誠之說如金經千萬刼而不泯

昔古昔也昔誠之說謂古昔立誠字之名之義也金者至堅之物也楞嚴經堅明立礙是有金輪金之經千萬刼而不泯者形也誠之經千萬刼而不泯者道也然則民生之常道其惟誠乎是爲反經之大吉

若或見之則沃聽者之槁心開愚昧之方寸

見者神與之會也沃潤也槁枯也方寸心地之名也聽

者賢智之士能竭心思故常枯槁其心見誠則無事於思而槁心可沃愚昧者本不能思方寸常閉然遇大知亦能開之所謂提耳而誨可使不識一字之凡夫立造神妙者也

嗚呼道哉覺哉孰能體之而無上守之而無爲斯二字之所以然而然者其於漏盡者乎

道承不泯覺承見之哉歎詞體之守之指道而言也無上無爲指覺而言也正覺則無上大覺則無爲二字卽道字覺字也之所以然而然言其精深奧妙未易窺測也漏盡者滲漏絶盡言無漏也卽固聰明聖智達天德

之意

誠之說如浮雲之馳空若漚花之泯水電影之逐風睡酣之幽夢斯果虚之謂歟實之謂歟

誠雖以不泯得名然非指有相之物便謂之誠宇宙之間未有有相而不壞者也然則可離相以求之乎離相又別無誠矣　至聖於此葢難言之特設此四種譬喻以開示人之悟入浮雲馳空謂無雲乎則馳者其何物也謂有雲乎則既馳矣雲又何存也漚花之泯水電影之逐風睡酣之幽夢亦復如是謂之虚不可謂之實亦不可此中眞是無實無虚故誠之説當如是觀之此

一節申言不泯之意明道之所以然也

然必先覺覺之後覺然之又將愚昧而疑之嗚呼清風搖水蟾影沉淵孰能機其所以然耶

先覺具正知見自能救度迷情後覺賴之不墮邪見自能契受正理愚昧者不能不疑所謂下士聞道大笑也

然必二字承上貫下至疑之止猶云此無實無虛之道無憑考證必於一覺一然一疑處參驗乃信其然蓋

至聖大覺之後而見其必然如此因又歎息言此道至妙無迹可尋一落思惟便生障礙如水風之相感蟾淵

之相涵不可思擬如此而覺乃爲正覺此一節申言若

或見之之意明覺之所以然也

日囊之妙也赤日升崑崙神龍浴滄海是又體之而非體

相之而非相是皆著相而能也無相而智耶

囊之妙指上文虛實之義言赤日神龍皆有體相而非

體相日聚陽之精自無而有龍純陽之德自有而無能

從有相生智從無相出日能升而龍能浴謂之無相不

可也日智升而龍智浴謂之有相不可也

又必我相人相而較之豈不廓落奔星靜淵臨月

較猶勘也謂以我相人相與日與龍一較勘之則有體

相而非體相者豈獨日與龍爲然哉我相人相亦非相

也惟其非相所以獨智藏焉而爲正覺之所自出也奔星於廓落見無礙也臨月於靜淵見不搖也勘破人我之相者其胸次如此

是說是問必九年之傳善義明不然風飜月影倒掛須彌問石爲舟千艘浮水巨木連枋作大海底是皆性理者耶是說指上文誠之說如金等是問指上文虗之謂歟等九年者達磨少林面壁九年今宗門之學皆九年之傳也善能也　至聖自言如上所說所問非淺俗可到必達磨所傳之人乃能明之風翻月影矯亂之見也倒掛須彌顚倒之見也石舟浮水妄見也巨木底海癡見

也言此道苟不得正傳必作此數等見其持之有故
言之成理豈皆可以爲性理者耶嗟夫琴有妙音必彈
於妙指苟不至德安凝夫至道哉洪惟我　高皇闡
乾坤於刧運揭日月以重新　躬資上聖全體大極
總彰政教兼作君師乃於萬幾之暇闡發道眞一至於
此堯舜之間僅聞一中之訓羲皇而上肇開一畫之遺
道固同符而我　高皇乃文之至矣臣敢頌爲自玄
黄剖判以來第一聖人也正管蠡及此矣孔子告哀公
曰誠者天之道也誠之者人之道也誠者不勉而中不
思而得從容中道聖人也誠之者擇善而固執之者也

博學之審問之愼思之明辯之篤行之人一能之己百之人十能之己千之果能此道矣雖愚必明雖柔必強
高皇此篇開示實即孔子之說後學惑於訓詁而失聖人之意久矣自今揚厲
聖謨而深思有得則誠爲天爲聖誠之爲明爲强乃見眞實然後知我
高皇不獨開萬世之太平尤繼往聖之絕學也已

諭僧

此篇全彰性教破妄歸眞大囘混沌之初直指無名之始以故教標無旨性揭無知誠孔老之眞詮大慈之正諦也非天下之至聖其孰能與於斯

佛始漢至教言玄寂機秘理幽以其有傳也抵期而無教以其無教而有印心之旨

以佛始漢至發語可見此法是後世添揑出來便有掃除手段以後段段逐破雖釋迦不能置一喙玄寂幽秘皆因有相傳之法而然柰何佛將涅槃諸弟子請佛再轉法輪佛曰吾從來未曾說一字今云再轉法輪是吾曾轉法輪耶是抵期而無教也夫既無教矣柰何又有印心之旨耶

愚不知旨故乃求旨切無乃顛慌恍惚茫昧於未判之先役累切之册裹何見一微塵之旨

智者合下識心便知原來無旨愚者惟聞有旨乃切切以求之則顛慌也恍惚也茫昧也皆愈求愈迷之狀也遂欲求諸天地未分之前役心累刼何嘗見有一微塵之旨乎

云何以旨問旨故

問何故求之如是其切而竟不得微塵因自荅言以旨問旨之故也以旨問旨猶云騎驢覓驢也

指空談空謂空無際而無依忽焉無倚愚不知躑躅不已特以色求色以音求音孰不以謂利便而可也歟

此節具愚人兩種見解一者着空二者着相其着空者

認空無一物四無依倚爲性而不免踟蹰之患其着相者認止心定息一切有爲爲性而不勝利便之喜可也歟問法之詞

斯愚問而求旨之切故聽者孰謂可歟既聽者不以爲可將焉求諸所以然乎

愚者於上二見或疑或可在聽者皆不謂可聽者猶言善知識也道之員悟由耳根入者爲多故號爲聽者

而或云佛本昭示善道大張法門豈有昧而又昧玄之又玄盖昧在昧出玄在玄生故遠求之雖在天外遍歷八荒亦何有知之見耶

愚人因無處可求復作是見云佛本以善道昭示於人法門大開豈有昧昧玄玄使人無可求之理豈知此理本昧本玄本無可求處本無知見處只在夫人善自識取耳如求旨之徒現在迷悶若有善巧方便者就在迷悶中出頭正昧也便從昧而出正玄也便從玄而生此所謂敗中取勝死中求活也孔子能近取譬之意亦與此同舍此別求則遠矣雖出天外歷八荒以求知見其可得耶此一團無知見處先德謂之黑漆桶永嘉云寂滅性中莫問覓是也下文詳言之

朕嘗聞知有好寢者逼霄烈風迅雷而寢者恬然無覺此

果心已矣乎神已矣乎果心已乎則以心問心果神已乎則以神問神不亦易乎然此若是之易難

嘗問知者曾聞於人而知表本無知也人類以有覺者爲心能有覺者爲神今逼霄烈風迅雷人多覺焉此人特以好寢而不覺即此觀之果心而止乎神而止乎若果此理惟心神而止則向之問吉者亦心神也以心問心以神問神亦易易者何至若是之難哉惟其非心非神即心即神亦非即亦非非非而必待天下之大智也

使佛見前安不爲諸徒之所辨而知所措其法焉法本無門而有由道由何而止焉焉知知止而無識焉

佛何法之有皆因諸徒妄求知見欲辨而知不得已與之剖析故法由措也人遂謂其大張法門殊不知法何門之有本無門但有由耳爲諸徒求知而說是其法之由也引起話頭何從止息知止者止之於無識而已

所以我空非空我相非相要見覿體無知之態似奔星廓落電影馳雲或爲虗妄而妄則妄起無端

我空非空卽是相也我相非相卽是空也此本覿體無知而云要見者亦權說也實無所見當此圓明之中似有星奔電馳虗妄之相欻其起無端則無虗妄矣永嘉所謂無明實性卽佛性幻化空身是法身也叅到此

處然後絕學無爲而知止矣

所以今之修者棄本宗而逐末猶不知陷身於水火將焚而灰溺而腐尚以樂而不逼以爲快哉斯愚不知旨故特以爲然或聰者自以爲利根雖搜空萬劫之虚靈亦何見旨之有耶

陷身於水火至於灰且腐尚以爲樂略無逼切回頭之意可爲憐憫顧此尚爲其愚而不知旨也又或有聰而不愚者卻不合自以爲利根自以爲見旨寧知從此墮落又是千生萬劫耶

且以大藏教中諸佛泛言今之修者以爲經之泛耶旨之

異耶若以經泛旨異則古智人夜孤燈于嶺外晝侶影於林泉趣不我知我不趣知愚豈不謂啞啞然而以爲譏乎佛嘗言吾所説法如人食蜜中邊皆甜本無泛言亦無異旨也只爲世人執諸言詮故以爲泛且異而不知古之智人相妄於無言孤燈侶影情境俱忘而一部大藏俱了矣彼以經有泛異者安得不謂智人爲啞啞乎審者以謂不然動靜靜動以爲天下樂是則以爲智人便信則以爲天下安化則以爲天下幸行則以爲天下福審者知之明者也名之曰審者以别上文聰者也言審者則不如此作見以爲智人之所爲何心之有或動或

靜惟適之安耳適者天下之樂也故智人便之而非唯也由是天下信佛則與天下安之天下化佛則與天下幸之天下行佛則與天下福之盖由其疑情已破眞實獨存天下注其耳目而審者皆孩之耳

朕罔知所以舉一大藏教云諸佛之故鐫磨鈍根而爲説法朕不知法故特以儒書之所云子釣而不綱設使綱而絶流衆目旣張了必歸于何處假使誠有歸處則一大藏經添一倍不爲多減一倍不爲少孰盡去之而願受諦周無文而備有法還契不立文字者互相妄誕如斯之説特

勅智禪而云乎

鑴磨鈍根而爲說法卽上文言法無門而有由者也歸于何處卽上文知止于無識者也孰盡去之而願受謗者言誰能到此識止歸宗之地將一大藏盡行除去而甘受謗經毀佛之罪者乎佛始漢世當周時無大藏之文而法未嘗不備達磨西來不立文字再傳之後竟爲其宗徒互相妄誕世人還契悟否唐杜甫所謂禍首燧人氏厲階董狐筆也若我是說特勅智禪而云小智聞之何異說夢哉昔有禪師舉周行七步公案曰何不當時一棒打殺貴圖天下太平卽此意也此篇文義深奧微妙極難解亦不容解也只宜鑴之金石與穹壤不朽

緣志存闡揚故強爲詮釋顧猶管之窺天蠡之測海僅得其萬一而已善讀者當自得之

三教論

夫三教之説自漢歷宋至今人皆稱之故儒以仲尼佛祖釋迦道宗老聃於斯三事悞陷老子已有年矣孰知老子之道非金丹黃冠之術乃有國有家者日用常行有不可闕者是也古今以老子爲虛無實謬哉

老子生於周末至我明然後有　至聖知之非聖人之於天道亦有命耶非金丹黃冠之術乃國家日用常行不可闕者確哉　聖訓考三王而不謬俟後聖而

不惑矣

其老子之道密三皇五帝之仁法天正已動以時而舉合宜又非昇霞禪定之機實與仲尼之志齊言簡而意深時人不識故弗用

密微密也其仁則同符三五其舉動則取法天時仲尼之祖述憲章上律下襲亦若是而已豈仙家之昇霞佛家之禪定者哉言簡而意深所謂密也按家語孔子問禮於老聃老聃送之以言曰聰明深察而近於死者好譏議人者也博辨宏達而危其身者好發人之惡者也爲人子者無以有已爲人臣者無以有已孔子退而稱

曰吾見老子其猶龍乎味斯言斯贊則　高皇以密字言之可謂當矣以老子之道齊於仲尼亦有據而無疑矣柰何學者至今尚惑于韓愈原道之說視爲異端棄孔子之所尊倍　高皇之明訓可勝罪哉

爲好仙佛者假之若果必欲稱三教者儒以仲尼佛以釋迦仙以赤松子輩則可以爲教之名稱無瑕疵況於三者之道幽而靈張而固世人無不益其事而行於世者此天道也

老子非仙當與儒爲一家仙自有仙之宗若赤松子輩是也儒佛仙三教皆不可闕佛仙之教幽而靈儒之教

張而固皆益於人而行於世者實天道也天之愛人甚矣故張三者之教以收攝人之聰明相協人之居止豈偶然哉以上皆明老子之非仙而仙教别自有宗當與儒佛並行　高皇統一聖眞可槩見矣

古今人志有不同貪生怕死而非聰明求長生不死者故有爲帝興之爲民富者尚之慕之有等愚昧罔知所以將謂佛仙有所誤國扇民特勑令以滅之是以興滅無常此蓋二教遇小聰明而大愚者故如是

以貪生怕死而興之者妄也憂其誤國扇民而滅之者亦妄也小聰明以滅之者言大愚以興之者言

昔梁武好佛遇神僧寶公者其武帝終不遇佛證果漢武帝魏武帝唐明皇皆好神仙足世而不遐舉以斯之所求以斯之所不驗則仙佛無矣致愚者不信數君皆用妄求妄其不驗固宜而仙佛未嘗無也遂生不信之心不亦愚乎

若左慈之幻操欒巴之噀酒起貪生者慕左慈欒巴二人皆得幻術者非真仙佛也而貪生者慕之妄矣

若韓退之匡君表以躁不以緩絶鬼神無毫釐惟王綱屬焉則鬼神知韓愈如是則又家出仙人

韓愈字退之唐憲宗朝表諫迎佛骨有奉佛彌謹年代彌促及其身既死其鬼不靈佛如有靈能作禍祟凡有殃咎宜加臣身等語是以躁不以緩絕鬼神無毫釐也王綱治天下之綱常也屬與也明有法度幽有鬼神二者表裏以扶世教今絕鬼神而獨與王綱是謂邊見家出仙人韓湘是也湘退之猶子得仙術解造逡巡酒能開頃刻花花中湧出金字一聯云雲橫秦嶺家何在雪擁藍關馬不前及退之貶潮陽乃驗其句退之所知者可見可聞之道而所昧者不可見不可聞之道鬼神特出仙於其家以破執導迷非無意也　高皇心通造

化所言眞實不虛臣嘗以二事驗之昔有一人作無鬼論鬼乃現一書生謂之雄譚逸發極論至於鬼神之際其人出論示之書生曰止我便是鬼公安得言無語訖不見其人乃悟而焚其草此一事也然猶故記所傳也臣歲丁亥與友人尚寶丞孟秋坐於安福敬止正論鬼神有無孟秋執無良久其家童芒芒然來云今者宅上見一鬼家人握刀斬之鬼避入墻廡之下又追逐之乃躍之隣舍矣豈非所謂鬼神知而故現者哉

此天地之大機以爲訓世若崇高者從而有之則世人皆虛無非時王之治若絶棄之而杳然則世無鬼神人無畏

天王綱力用焉

好仙佛不得仙佛絶鬼神反見鬼神盖因此道非有非無一落邊見不惟喪道亦兼喪世故天地恒因人之偏而矯之此訓世之大機也天地豈有意哉亦道固然耳君子之學亦猶是也欲於實處用功者偏無一事之實欲於虚處用功者偏無一念之虚何也實生於虚説實即不實虚亦生於實説虚即不虚也王綱力用言治之勞也

諭僧純一勑云昔釋迦之道孤處雪嶺於世

俗無干及其道成也善被兩間靈通上下使鬼神護衛而聽從故世人良善者漸多頑惡者漸少所以治世人

主每減刑法而天下治非君減刑法由佛化博被之然也

於斯三教除仲尼之道祖堯舜率三王刪書制典萬世永賴其佛仙之幽靈暗助王綱益世無窮惟常是吉

仲尼之道顯明共覩共聞陽德也故爲世教之主佛仙之道幽靈不可覩聞陰德也故爲世教之助天道之大者在陰陽二氣不可闕一故曰皆天道也然陽常居大夏以生育長養爲事陰常居大冬而積於空虛不用之處得其常則吉失其常則凶近世士夫談禪失宗毁形變服惟淨土之事者謂之不失常吾不信也

嘗聞天下無二道聖人無兩心三教之立雖持身榮儉之不同其所濟給之理一斯世之愚人於斯三教有不可缺者

無二道者有常道也無兩心者有常心也仲尼之道明故其持身榮仙佛之道幽故其持身儉儒者任國家之事則可以受朝廷之禄爵佛仙不預世事則草衣木食乞化爲生所以勸人無貪著也濟給之理豈不一乎世人皆愚恒賴三教以化之一有智者必爲三教攝援爲將來教主自三教立而生人之命脉有所繫矣然非我高皇聰明之大安能洞見其然而處之各得其宜哉皇

極之敷言曰無偏無詖無作好無作惡上下萬億年共

其盡之者高皇而已愚臣何幸躬逢其盛

金陵梵刹志卷二

欽錄集

洪武五年壬子

春，即蔣山寺建廣薦法會。命四方名德沙門先點校藏經。命宗泐撰獻佛樂章，既成進呈。御署曲名曰善世，曰昭信，曰延慈，曰法喜，曰禪悅，曰遍應，曰妙濟，曰善成。凡八章。勅太常諧協謌舞之節，用之著爲定制。

七月十六日，中書省欽奉聖旨：蔣山係是大禪刹處所，如今你省家出給執照與住持長老，行容收執把那天禧寺、能仁寺兩處應有舊日常住田土並寺家物件，都入蔣

山砧基簿內作數永遠爲業收的錢糧等項聽從蔣山寺支用其天禧寺能仁寺僧人都收入蔣山坐禪欽此

七月十六日中書省欽奉　聖旨天禧寺能仁寺兩處僧人多裡恁省家出個文書與蔣山寺住持長老行容收執將這天禧能仁兩寺應有的僧人用心於四方搜集聽從長老行容分豁堪坐禪者坐禪不作歹良善可以管莊的教他管莊若是作歹不良善的分豁出來開剃爲民欽此

洪武六年癸丑

普給天下僧度牒前代多計僧鬻牒名曰免丁錢　詔特

洪武九年丙辰

試經給沙門度牒

洪武十年丁巳

詔天下沙門講心經金剛楞伽三經　命宗泐如玘等註釋頒行　御製演佛寺住持玘太朴字說

三月十三日禮部尚書張等　奉天門奏准奉　聖旨就批本着落禮部知道一切南北僧道不論頭陀人等有道善人但有愿歸三寶或受五戒或受十戒持齋戒酒習學經典明心見性僧俗善人許令齋持戒牒隨身執照不論山林城郭鄉落村中恁他結壇上座拘集僧俗人等日則

講經說教化度一方夜則取靜修心欽此

洪武十一年戊午

禮部郎中袁子文建言度僧　詔許之

五月二十四日　御製左講經玘太朴　誥命

洪武十四年辛酉

蔣山寺住持仲義　奏遷蔣山寺及寶公塔于東岡改

賜寺額曰靈谷寺榜外門曰第一禪林　命度僧一千名

悉給與度牒贍僧田貳百伍拾頃有奇　勅杭州府儒學

教授徐一夔撰寺碑文

六月二十四日禮部爲　欽依開設僧道衙門事照得釋

道二教流傳已久歷代以來皆設官以領之天下寺觀僧道數多未有總屬爰稽宗制設置僧道衙門以掌其事務在恪守戒律以明教法所有事宜開列于後

一在京設置僧錄司道錄司掌管天下僧道選精通經典戒行端潔者銓之其在外布政府州縣各設僧綱僧正僧會道紀等司衙門分掌其事

僧錄司掌天下僧教事

善世二員正六品　左善世　右善世

闡教二員從六品　左闡教　右闡教

講經二員正八品　左講經　右講經

覺義二員從八品　左覺義　右覺義

道錄司掌天下道教事

正乙二員正六品　左正乙　右正乙

演法二員從六品　左演法　右演法

至靈二員正八品　左至靈　右至靈

玄義二員從八品　左玄義　右玄義

各府僧綱司掌本府僧教事

都綱一員從九品　副都綱一員

各府道紀司掌本府道教事

都紀一員從九品　副都紀一員

各州僧正司掌本州僧教事　僧正一員

道正司掌本州道教事　道正一員

各縣僧會司掌本縣僧教事　僧會一員

道會司掌本縣道教事　道會一員

一各府州縣寺觀僧道並從僧錄司道錄司取勘置文冊須要開寫某僧某道姓名年甲某布政司某府某州某縣籍某年於某寺觀出家受業某師先爲行童幾載至某年某施主披剃簪戴某年給受度牒逐一開報

一供報各處有額寺觀須要明白開寫本寺本觀始於

何朝何僧何道啟建或何善人施捨

一僧道録司衙門全依宋制官不支俸吏與皁隸合用人數並以僧道及佃僕人等爲之

一僧道録司官體統與欽天監相同出入許依合用本品傘蓋遇官高者即斂之

一各處寺觀住持從本處僧道衙門舉保有戒行老成諳通經典者申送本管衙門轉申僧録司道録司考試中式具申禮部奏　聞

一各府州縣未有度牒僧道許本管僧道衙門具名申解僧綱司道紀司轉申僧録司道録司考試能通經

典者具申禮部類　奏出給

一在京在外僧道衙門專一檢束僧道務要恪守戒律

闡揚教法如有違犯清規不守戒律及自相爭訟者

聽從究治有司不許干預若犯奸盜非爲但與軍民

相涉在京申禮部酌審情重者送問在外即聽有司

斷理

洪武十五年

二月十三日掌禮部事大理寺右少卿謝倉部試郎中龐

照試員外郎孟宗敬試主事上亨辛泰同給事中張傑等

官於　奉天門晚朝題　奏前日一件　欽撥天界寺田

糧叁千石併蔣山寺田糧肆千石合無如何免他奉　聖
旨天界寺免他歲收叁千石内該納糧數蔣山寺免他歲
收肆千石内該納糧數餘有的田糧并差役俱都免他欽
此
三月初六日曹國公欽奉　聖旨天下僧道的田土法不
許買僧窮寺窮常住田土法不許賣如有似此之人籍没
家產欽此
四月二十二日准吏部咨除授各僧道録司咨本部知會
僧録司
左善世戒資　右善世宗泐　左闡教智輝

右闡教仲義　左講經玘太朴　右講經仁一初
左覺義來復　右覺義宗㲹

道錄司

左正乙徐希道　右正乙薛明道　左演法范浩然

四月二十五日禮部爲　欽依開設僧道衙門事今將定
列本司官員職掌事理開坐前去仰照驗遵依施行

一戒資掌印　宗泐封印　凡有施行諸山須要衆僧
官圓坐署押眼同用印但有一員不到不許輒用差
故者不在此限

一戒資　提督衆僧坐禪參悟公案管領教門之事

一智輝　仲義　亦督修者坐禪

一如玘　守仁　接納各方施主發明經教

一來復　宗泐　檢束諸山僧行不入清規者以法繩之幷掌天界寺一應錢糧產業及各方布施財物置立文簿明白稽考其各僧官職掌之事宗泐皆須衆理

一考試天下僧人能否公同圓議具實奏　聞

命鞍轡局大使黃立恭修天禧寺塔

五月二十一日禮部照得佛寺之設歷化分爲三等曰禪曰講曰教其禪不立文字必見性者方是本宗講者務明

諸經旨義敎者演佛利濟之法消一切見造之業滌死者宿作之愆以訓世人本月二十日本部官欽奉　聖旨見除僧行果爲左闡敎如錦爲右覺義前去能仁開設應供道場凡京城内外大小應付寺院僧許入能仁寺會住看經作一切佛事若不由此另起名色私作佛事者就仰能仁寺官問罪若遠方雲遊看經抄化及百姓自願用者不拘是限欽此出榜曉諭應付寺院僧人欽遵施行

六月十七日本部官于　奉天門欽奉　聖旨各處府分止設僧綱司道紀司就管附郭縣僧道附郭縣不必再設僧會司道會司欽此本部欽遵施行

九月二十五日戶部尚書郁新同本部官于　武英殿欽
奉　聖旨天下僧道的田土依着曹國公置惠光菴的田
土還與他菴內了常州府武進縣懷德鄉粮長陸衡典了
彌陁寺田土叁千畝止還壹千畝今又要原鈔惟有這厮
不怕法度勒要和尚鈔如此之人難以本鄉住坐免他死
罪連家小發去邊衛充軍照得天下有此土覇之人倚恃
豪富將那僧道田土在巳餘過年月以利息過本爲由僧
道之鈔收贖擬將他絶賣以致僧道窮乏土霸之家豪富
體得如此者着有司拘集僧道取勘常住田産若納官粮
外討賦坐罪田産還他本寺欽此

洪武十六年

正月二十一日天界善世禪寺住持行椿具奏荷蒙　聖
恩欽賞上元縣丹陽鄉靖安湖塾鎮田地貳拾玖頃有零
溧水縣永寧鄉相國圩田叁拾柒頃有零溧陽縣永城等
鄉黃蘆鴈垞西趙三圩田叁拾玖頃有零每頃田壹夫常
住盤費艱難將田土獻納還官奉　聖旨差鴻臚寺序班
李眞等官弁旗校到各縣地方一一丈量東西四至分明
造成文冊還與他天界善世禪寺歲收租米供衆免他夫
差欽此

五月二十一日早朝僧錄司官于　奉天門欽奉　聖旨

即令瑜伽顯密法事儀式及諸真言密呪盡行考較穩當可爲一定成規行於天下諸山寺院永遠遵守爲孝子順孫愼終追遠之道人民州里之間祈禳伸情之用恁僧錄司行文書與諸山住持幷各處僧官知會俱各差僧赴京于　内府闗領法事儀式囬還習學後三年凡持瑜伽教僧赴京試驗之時若於今定成規儀式通者方許爲僧若不省解讀念且生須容周歲再試若善於記誦無度牒者試後就當官給與如不能者發爲民庶欽此

禮部爲減繁事照得本部出給僧道度牒自洪武十五年五月内開設僧道衙門至洪武十七年閏十月終給過僧

道度牒二萬九百五十四名，卽目申請不絕，妨占有司差役。本部議得一次出給度牒，便益。洪武十七年閏十月二十九日，本部尚書趙瑁等官于奉天門奏，奉聖旨：三年一次出給，的是照舊日試他那幾般經通曉，得與他度牒。恁禮部行個令與他知道。欽此。除外今將榜文隨此前去，合下仰照驗，卽便行移各處僧道衙門，自洪武十七年十一月初一日截日住罷，候至洪武二十一年爲始，方許請給。其考試僧道，務要依奉榜文內事理施行，毋得將不識經典僧道朦朧申請，違錯不便。

洪武十八年乙丑

天界寺住持行椿具奏本寺蒙　欽賞溧陽縣没官田叁千玖百玖拾畝零坐落黄蘆鴈埝西趙三圩田土肥瘠不等差僧彌淨往會僧會司官踏看分上中下三等每畝上田科米柒斗玖升中田科米柒斗伍升下田科米柒斗貳升各佃自運付本寺交納恐日後不無混賴合刻碑爲記永遠遵守奉　聖旨是欽此

勑建鷄鳴寺造浮圖五級祠寶公歲遣官祭祀初西番僧星吉鑑藏居是山至是爲闢別院　命爲僧錄司右覺義三月初五日本部官於　奉天門欽奉　聖旨雲南來的那十個僧人恁禮部依先的僧人一般與他文書着他去

浙江地面裏遊翫所至寺院卽令隨堂欽此本部給批付僧妙聞等欽遵前去遊方仰各處僧綱僧會司如遇各僧到寺卽令隨堂各兵部應付脚力送至鎭江交卸聽從遊翫

三月十八日本部官于 武英殿欽奉 聖旨僧錄司右覺義如錦病故憑禮部辦素祭去祭祀他欽此令祠部備祀庫支價買祭物前去祭祀

十月二十八日本部官于 奉天門欽奉 聖旨金齒來的僧憑禮部與文書着他去浙江地面裏遊翫欽此劄付應天府應付脚力遞送至鎭江府聽從遊翫

十一月十八日本部官于　太庖西欽奉　聖旨僧錄司左講經如玘病故了恁禮部祭祀他欽此祠部備祭庫內支價辦買素祭物件完備祭祀

十一月二十一日本部官于　奉天門欽奉　聖旨左講經如玘今日下葬恁禮部官便去祭祀欽此令祠部備祭庫內支價買辦素祭物完備遣禮部侍郎章祥致祭仍

御製祭文

十二月初四日崇山侯傳奉　聖旨恁去說與靈谷寺長老官府軍去蕁山他寺後馬鞍山爲界東邊小山兒與他寺蕁取松枝欽此

十二月十八日秦都督傳奉　聖旨你去說與靈谷寺長老他寺中人夫不多薅取松枝不盡自立春爲始不要薅恐妨松枝長茂待明年冬間寺中再薅取東至木公山爲界欽此

洪武十九年丙寅

勑天下寺院有田粮者設砧基道人一應差役不許僧應

八月初八日禮部奏據僧性海等告給護持山門榜文欽奉　聖旨出榜與寺家張掛禁治諸色人等毋得輕慢佛教罵詈僧人非禮攪擾違者本處官司約束欽此欽遵出給榜文須行天下各寺張掛禁約

八月十六日本部官于　奉天門欽奉　聖旨雲南僧人性海等回還與他遞運船隻欽此咨兵部欽遵施行

洪武二十年

四月十一日禮部尚書崔等復奉　聖旨將戒牒頒行天下重出曉諭欽此

五月二十六日鞍轡局大使黃立恭于　大庖西欽奉

聖旨當江沙蘆場你天禧寺與靈谷寺平分欽此

洪武二十一年戊辰

還僧錄司於天禧寺試經度僧給與度牒

三月十四日僧錄司左善世弘道等于　中右門欽奉

聖旨恁僧錄司行文書各處僧司去但有討度牒的僧二十已上的發去烏蠻曲靖等處每三十里造一座庵自耕自食就化他一境的人欽此

四月二十六日僧錄司左善世弘道等於　奉天門欽奉

聖旨靈谷天界天禧能仁雞鳴等寺係京刹大寺今後缺大住持務要叢林中選舉有德行僧人考試各通本教方許着他住持毋得濫舉欽此

六月十四日僧錄司左善世弘道等於　奉天門奏各處來未有度牒的僧人見於靈谷等寺長髮住坐奉　聖旨明日帶他來入見欽此次日左善世弘道引髮僧于　奉

天門奏奉　聖旨宣諭了你們仍舊剃髮爲僧欽此

六月十四日僧錄司左善世弘道等于　奉天門欽奉

聖旨今後但有不守戒律的僧人發他天界能仁寺工役

欽此

六月十五日早朝奏　聖旨着善世禪寺長老原有廊房

混堂依舊自起造取討房錢用欽此

七月二十一日僧錄司據應天府江寧縣安德鄉里長曹

善慶同鳳臺門旗軍王谷成解送到僧人智能招係常州

府宜興縣法藏寺僧洪武二十一年到於應天府羅漢寺

住坐本年七月二十日夜至更初時分倚酒大醉在於本

寺門首撒潑叫罵本處里長當被鳳臺門把截旗軍王令成一同里長拿住至二十一日解送赴司七月二十三日本司左善世弘道等同本部官于　奉天門奏奉　聖旨這潑皮僧送錦衣衛教他帶了鐵牌發付集慶寺工作欽此

八月初一日天界善世禪寺住持行椿于　奉天門丹墀內奏本寺新蓋造寺宇無柴燒造磚瓦欽奉　聖旨你可去采石對過官蘆場內砍斫到工部討文書去欽此

八月初一日僧錄司左善世弘道於　奉天門欽奉　聖旨天界寺只作善世爲額欽此

洪武二十二年

七月初三日本部官于　華蓋殿欽奉　聖旨雞鳴寺老僧官陝西帶來的番僧漢僧教工部做與綿布僧衣欽此移咨工部造辦僧衣三十六名每名綿布僧衣一套每套三件共一百八件進赴　內府給賞各收領去訖

八月初九日僧錄司申該本月初一日早本司左善世弘道等于　奉天門欽奉　聖旨西河洮州等處多有不曾開設僧司衙門恁僧錄司差漢僧番僧去打點着本處官司就舉選通佛法的僧人發來考試除授他去欽此選到漢僧番僧人一十名本月初八日本司左善世弘道等于奉天門奏奉　聖旨着禮部出劄付恁僧錄司出文書與

他八月二十日起程去欽此當即將僧花名申部欽遵施
行
八月十一日僧錄司蒙給事中薛廣批　敬依將觀音庵
僧人成寶告能仁寺僧人保都事四名詐鈔三十貫無鈔
將本僧度牒勘合搶去事送僧錄司整理了回話
八月十七日僧錄司左善世弘道等於　奉天門丹陛奏
天禧寺管塔和尚福興帶鐵牌點燈不便奏　聖旨饒了
他欽此
洪武二十三年
三月二十三日僧錄司蒙給事中差力士　欽依宣天禧

寺僧官明日早朝來先取知帖回報

八月十二日僧錄司蒙給事中滕達批差力士辛用敬依將佑聖庵僧德定爲啟師慧性打罵事僧錄司整理了回話

洪武二十四年

五月初九日僧錄司右善世宗泐等于　奉天門奏天界善世禪寺有上元縣靖安湖塾鎭及溧陽溧水等縣田地天禧寺有上江二縣龍都鎭田地俱自巳用鈔雇倩人在各處使用恐官府遇有差役未便奉　聖旨你各寺四縣雇倩的人教不動他欽此左講經守仁又奏天禧鷄鳴寺

廊房開鋪的多是句容縣人奉　聖旨教他起去着蘇杭人來開鋪教他把舊日的文書照出關去欽此

申明佛教榜册

六月初一日欽奉　聖旨佛教之始自東漢明帝夜有金人入夢是後法自西來明帝勅臣民願崇敬者許於是臣民從者衆所在建立佛刹當時好事者在法入之初有去鬚髮而捨俗出家者有父母以兒童子出家者其所修也本苦空甘寂寞去諸相慾必欲精一已之英靈當是時佛教大彰羣修者雖不能盡爲圓覺實在修行次第之間豈有與俗混淆與常人無異者今天下僧寺以上古刹列聖相繼

而較者佛之教本中國之異教也設使堯舜禹湯之時遇斯闡演未審興止何如哉今佛法自漢入中國歷曆數者一千三百三十年非一姓爲君而有者也所以不磨滅者爲何以其務生不殺也其本面家風端在苦空寂寞今天下之僧多與俗混淆尤不如俗者甚多是等其教而敗其行理當清其事而成其宗令一出禪者禪講者講瑜伽者瑜伽各承宗派集衆爲寺有妻室願還俗者聽願棄離者聽僧錄司一如朕命行下諸山振揚佛法以善世仍條于後

一自經兵之後僧無統紀若府若州合令僧綱司僧正

司驗倚郭縣分僧會司驗本縣僧人雜處民間者見其實數於見有佛刹處會衆以成叢林守清規以安禪其禪者務遵本宗公案觀心目形以証善果講者務遵釋迦四十九秋妙音之演以導愚昧若瑜伽者亦於見佛刹處率衆熟演顯密之教應供是方足孝子順孫報祖父母劬勞之恩以世俗之說斯教可以訓世以天下之說其佛之教陰翊王度可也

一令之後敢有不入叢林仍前私有眷屬潛住民間被人告發到官或官府拿住必梟首以示衆容隱窩藏者流三千里

一顯密之教儀範科儀務遵洪武十六年頒降格式內其所演唱者除內外部真言難以字譯仍依西夷之語其中最密者惟是所以曰密其餘番譯經及道場內接續詞情懇切交章天人鬼神咸可聞知者此其所以曰顯于茲科儀之禮明則可以達人幽則可以達鬼不比未編之先俗僧愚士妄爲百端訛舛規矩貽笑智人鬼神不達此令一出務謹遵毋增減爲詞訛舛紊亂敢有違者罪及首僧及習訛謬者

一令出之後有能忍辱不居市廛不混時俗深入崇山刀耕火種侶影儔燈甘苦空寂寞於林泉之下意在

以英靈出三界者聽

一瑜伽僧既入佛刹已集成衆赴應世俗所聞之齋儭日驗僧每一日每一僧錢五百文假若好事三日一僧合得錢一千五百文主磬寫疏召請三執事凡三日道場每僧各五千文

一道場諸品經呪布施則例

華嚴經一部錢一萬文　般若經一部錢一萬文

内外部眞言每部錢三千文　涅槃經一部錢二千文　梁武懺一部錢一千文　蓮經一部錢一千文

孔雀經一部錢一千文　大寶積經每部錢一萬文

水懺一部錢五百文　楞嚴呪一會錢五百文　已上諸經施錢誦者三分得一二分與衆均分雲遊暫遇者同例若有好事者額外布施或施主親戚隣里朋友乘齋下䞋者不在此限

一陳設諸佛像香燈供給闍黎等項勞役錢一千文

一凡僧與俗齋其合用文書務依修齋行移體式除一表三申三牒三帖三疏三榜外不許文繁別立名色妄費紙札以耗民財

一令後所在僧綱僧正僧會去處其諸散寺應供民間者聽從僧民兩便願請者願往任從之僧綱僧正僧

會毋得恃以上司出帖非爲拘鈐假此爲名巧取散寺民施此等之例自宗元無大槩只因曩者天下兵爭之日朕居金陵軍士在征者多金陵在城巨細僧寺庵觀數多當是天界一寺重門樓觀金碧熒煌可謂寺之大者矣其齋僧布施者鮮入其内其房一間爲庵三五間爲寺道觀如之朝天宫亦然金碧熒煌重門樓觀人皆不入其香燈燭晝夜不息於小庵小舍何也實非求福乃備淫佚敗常亂俗當是時朕將諸寺院庵觀一槩屏除之僧不分禪講瑜伽盡入天界寺道不分正一全真俱入朝天宫於斯之時僧道

出入頗有可觀然一二載間天界首僧惠曇信從羣小不才如志瑜伽諸僧假以出入有驗凡有經齋去處驗帖驗僧而出其歸也巧取民施以爲常例如此剎削瑜伽諸僧近年以來分寺清宗禪者禪講者講瑜伽者瑜伽天界不復斯例矣即令能仁寺首僧不悟天界寺首僧爲非仍前尚拘散寺僧人出入是爲不便巧取是爲貪財出帖一節驗本寺出入則可取財則不可此令一出悉令改過從各有緣僧有道高行深者或經旨精通者檀越有所慕從其齋禮毋以法拘敢有仍前倚勢拘鈐者其僧綱僧正僧會杖一

百工役三年

一瑜伽之教顯密之法非清淨持守字無訛謬呼召之際幽冥鬼趣咸使聞知即時而至非垢穢之軀世俗所持者曩者民間世俗多有倣僧瑜伽教者呼爲善友爲佛法不清顯密不靈爲汙濁之所汙有若是今後止許僧爲之敢有似前如此者罪以遊食

一令出之後所有禁約事件限一百日內悉令改正敢有仍前汙染不遵者許諸人捉拿赴官治以前罪

七月初一日本部官于　奉天門欽奉　聖旨恁禮部出批着落僧錄司差僧人將榜文去清理天下僧寺凡僧人

不許與民間雜處務要三十人以上聚成一寺二十人以下者聽令歸併成寺其原非寺額剏立庵堂寺院名色並行革去欽此本部當差僧人善思等五名齎榜前去各布政司清理僧人歸併成寺仰各處僧寺遵守

八月十八日錦衣衛差力士何旺齎到手勅着善世天禧能仁三寺僧官宗泐等明早有雨不要來若無雨天晴早赴

奉天門欽此

洪武二十五年壬申

試經給僧度牒　勅僧錄司行移天下僧司造僧籍冊刊布寺院互相周知名爲周知板冊

二月二十五日禮部爲傳奉　聖諭事攝山巖因崇報禪院還改棲霞禪寺爲額原有山場田地俱免他粮差欽此欽遵

三月十六日本部官于　華盖殿欽奉　聖旨今春雨少恁禮部去天禧寺着僧官潔淨壇場祈禱戶部與齋米一百石鹽一百斤醬八十斤欽此移咨戶部欽遵施行當日本部官又于　奉天門題奏天禧寺啟明早用香就部祠部關油貨去奉　聖旨是再與他清油一百斤着就庫裏支欽此咨工部關油祠部放香

四月十七日禮部祠部試員外郎何呈于　奉天門奏禮

部出給僧道度牒止憑僧録司來文照名出給並不見開稱曾無堨籍明白恐一槩出給不便奉　聖旨都教他堨籍明白時給與他欽此

五月初四日僧録司左善世夷簡等同本部官于　奉天門欽奉　聖旨各處差去清理佛教僧多又不停當恁僧録司好生省會與他若要將寺宇完全有僧去處折毁了的着他改正了體察出來不饒欽此

八月初六日本司左善世了達等于　右順門欽奉　聖旨各處僧道多有假托化緣騙人錢鈔的恁僧道録司拿將來將疏頭來看料治他欽此

十二月初六日僧錄司左善世夷簡等于 奉天門欽奉
聖旨各處有通佛法性理高僧訪問得幾人取將來善世
寺住欽此
十二月二十一日 欽依關領清教錄一百四十五本發
與各處僧綱司依本刋板印造俵散所屬寺院僧人
閏十二月十八日禮部據僧錄司申該司官等本年十月
十四日于 奉天殿欽奉 聖旨各處僧寺多隱逃軍逃
囚好生不停當只如南關外百福寺止有僧人四名爲隱
藏刺字逃囚寺都廢了前日說與僧錄司行文書各處僧
司着落寺院編號造册如今定下格式不用多費紙劄火

速催併他成造將來欽此當日蒙力士蕭貴送到冊式樣一紙欽依寫一二名來看本月十九日早欽依將本司官并善世天禧能仁三寺僧一百二十八名開寫二紙進呈本月二十七日本司官于　右順門欽奉　聖旨前日冊式刊板了着人印與僧錄司照依天下僧司寺院數目須降與他着他依式刊板印造務要天下僧籍互相周知欽此當日又題奏各處清理冊内未請度牒僧人合無如何奉　聖旨也着他入冊欽此當年十一月初五日本司官于　奉天門欽奉　聖旨如今定冊式好生停當僧錄司差僧去說與各處僧司并寺院這囘造冊好生要清切有

容隱奸詐等人朦朧入冊的事發時連那首僧都不饒他
性命各處僧人都要於原出家處明白供報俗家戶口入
籍不許再在掛搭處入籍待造冊成了方許遊方掛搭欽
此除行各處僧司所屬寺院欽遵造冊外具申到部立案
遵守
道錄司官於　奉天門欽奉　聖旨恁也照依僧錄司攢
造文冊每一叢林各散一本先去僧錄司討式樣看照數
攢造欽此具申本部施行

洪武二十六年癸酉

正月初三日大龍興寺住持僧祖僊等赴京　賀正辭回

司禮監官曾梯傳　聖旨住持僧賞五錠散僧每名二錠
發禮部補本欽此當即禮科給賞本部補本覆奏
六月初五日僧錄司官一同禮部官於　奉天門欽奉
聖旨近日各處進來僧冊多有不知　朝廷禮體今後着
他將原印板僧名上面邊欄增高三箇字來地位好寫進
呈冊前頭由中間休動當又禮部官題　奏其餘給散天
下僧冊奏　聖旨准他欽此
七月二十二日僧錄司官左善世夷簡等於　奉天門欽
奉　聖旨各處寺院原設砧基道人本着他寺家管事當
門户如今多有人來告他好生無禮戴帽穿圓領衣行坐

耍在僧人之上凌壓衆僧惱害寺家僧錄司行文書去今後各處砧基道人敢有仍前無禮淩壓衆僧惱害寺家的拿來杖一百發邊遠充軍欽此

八月十九日抄蒙　欽依天禧天界能仁靈谷鷄鳴大住持僧官二十日早將引有見識的僧來赴　内府

九月初七日僧錄司左善世弘道等於　奉天門奏　聖旨着前府都督陳遜前去采石對過鯽魚洲等處官蘆場内撥與天禧天界能仁靈谷鷄鳴五寺就着他各寺管事僧跟隨前去認他地方欽此

九月十三日牧馬所千戶周　晚朝於午門樓上奏　聖

旨去與靈谷寺着空閑地着看山軍種各樣果子下種成
樹秧移將進山裏去栽剩下的結果子與和尚喫欽此
九月二十六日本司左善世夷簡等晚朝於　奉天門題
奏在京善世天禧能仁靈谷鷄鳴五寺　欽蒙撥與蘆柴
合無就僧錄司出批文與各寺去砍斫奏　聖旨是欽此
十月初三日前軍都督府都督同知陳遜奏　聖旨着他
自雇倩人夫砍斫行文書工部知道免他抽分欽此
洪武二十七年甲戌
命僧錄司行十二布政司選僧補官於是庵頂道成淨戒
等應　召除授

正月初八日欽奉　聖旨釋迦佛發大悲願心歷無量劫至于成道說法度人一切來歷備載大藏愚者安能知義聰者未能盡目有佛以來效佛之修者無量自漢入中國至今一千三百餘年其教不治而不亂不化而自化凡所說法人天會聽愚者雖無知補於時君者多矣自佛去世之後諸祖踵佛之道所在靜處不出戶牖明佛之旨官民趨向者累代如此效佛宣揚者智人也所以佛道永昌法輪常轉邇年以來踵佛道者未見智人但見奸邪無籍之徒避患難以偷生更名易姓潛入法門以其修行之道不足以動人一槩窘於衣食歲月實難易度由是奔走市村

無異乞覔者致使輕薄小人毀辱罵詈有玷佛門特勅禮部條例所避所趨者榜示之

一僧合避者不許奔走市村以化緣爲由致令無籍凌辱有傷佛教若有此等擒獲到官治以敗壞祖風之罪

一寺院庵舍已有砧基道人一切煩難荅應官府並在此人其僧不許具僧服入公廳跪拜設若已身有犯即預先去僧服以受擒拿敢有連僧服跪公廳者處以極刑

一欽賜田地稅粮全免常住田地雖有稅粮仍免雜

派僧人不許充當差役

一凡住持幷一切散僧敢有交結官府說俗爲朋者治以重罪

一凡僧之處於市者其數照歸併條例務要三十人以上聚成一寺二十人以下者悉令歸併其寺宇聽僧折改併入大寺如所在官司有將寺沒官及改充別用者卽以贓論

一可趨向者或一二人幽隱於崇山深谷必欲修行者聽三四人則不許山雖有主阻當者以罪罪之若近市井十五里內不許山主阻之勿罪十五里以外許

之其幽隱者遊居于山或一年半年或兩三月或棲嵓或屋樹或廬野止許容身不許創聚刀畊火種於叢林中止許匃食而已若有好善之家入山送供者聽

一若欲遊方問道所在雲水者親賫路費循道而行往無定止者聽民有善德之家一見如此禮而齋之者受施財者納之

一除遊方問道外禪講二宗止守常住篤遵本教不許有二亦不許散居及入市村其瑜伽各有故舊檀越所請作善事其僧如科儀敎爲孝子順孫以報劬勞

之思在上而追下者得舒慈愛之意此民之所自願非僧窘於衣食而干求者也一切官民敢有侮慢是僧者治之以罪

一僧有妻室者許諸人捶辱之更索取鈔五十錠如無鈔者打死勿論

一有妻室僧人願還俗者聽願棄離修行者亦聽若不還俗又不棄離許里甲隣人擒拿赴官循私容隱不拿者發邊遠充軍

一今後一切僧人敢有將手卷幷白冊稱爲題疏所在强求人爲之者拿獲到官謀首處斬爲從者點刺充

軍

一僧寺庵院一切高明之人本欲與僧攀話顯揚佛教奈何僧多不才其人方與和狎其僧便起求布施之心爲此人遠不近

一令後秀才并諸色人等無故入寺院坐食僧人粥飯者以罪罪之

嗚呼僧若依朕條例或居山澤或守常住或遊諸方不干於民不妄入市村官民欲求僧以聽經豈不難哉如此則善者慕之詣所在焚香禮請豈不高明者也行之歲久佛道大昌榜示之後官民僧

俗人等敢有妄論乖爲者處以極刑欽此

清教録内禁約條例

一諸山僧寺庵院務要天下諸僧名籍造册在寺互相周知遇僧人遊方到來即問本僧係某處某寺某僧年若干然後揭册驗實方許掛搭如是册内無名及年貌不同者即是詐僞許擒拿解官

一今後僧寺不許收養民間兒童爲僧兒童無知止由父母之命入寺披剃及至年長血氣方剛慾心一動能甘寂寞誠心修行者少所以僧中多有泛濫不才者敗壞祖風取人輕慢令出之後敢有收留兒童爲

僧者首僧凌遲處死兒童父母遷發化外若有出家者務要本人年二十三十者令本人父母將户内丁口事產及有何緣故情愿爲僧供報入官奏聞　朝廷允奏方許披剃過三年後赴京驗其所能禪者問以禪理講者問以講諸經要義瑜伽者試以瑜伽法事果能精通方給度牒如是不通斷還爲民應當重難差役

二月二十六日天界寺蔣山寺住持行椿行容等具奏荷蒙　欽賜贍僧田地一向自已用鈔雇人耕種因事務煩瑣另議召佃徵租上江二縣田每畝米五斗麥三斗爲率

溧陽溧水句容等縣田每畝米七斗五升爲率各佃自運
到寺散給衆僧又蒙　欽賜蘆洲砍柴變價備辦香燈俱
造冊送禮部查考不許拖欠侵尅已蒙　依准申部遵守
但今歲季着僧催徵租粮砍斫蘆柴收支票帖庫司無憑
稽考田地召佃入公據無憑合無請　賜庫記奉　聖旨是
着禮部給庫記與他天界寺蔣山寺欽此
七月十二日本部官同僧錄司官　華盖殿欽奉　聖旨
征南陣亡病故的官員軍士就靈谷寺做好事普度他恁
禮部家用心整理欽此本部議到靈谷寺修設大齋普度
征南陣亡病故等項官軍合用米麥香燭罷用等件具奏

行移户部工部應天府等衙門放支造辦送用差委郎中員外郎將帶吏典提調供給

洪武二十八年乙亥

命僧錄司設上中下三科考試天下沙門賜善世天禧等寺粮米各三千石以給其食賜僧錄司官大佑袈裟衣衾

洪武二十九年

三月初一日本部官欽奉　聖旨天下僧道已前屢曾出榜曉諭務要各遵本宗教法不許混同世俗干犯憲章近來僧錄司道錄司考試天下僧道其中多有不通經典者蓋是平日不遵清理榜諭其於本教祖風茫然無知以此

不知趨善懲惡之方恁禮部將已前出的榜文編集成書
頒示天下僧道寺觀申明周知三年後再來考試不中者
發邊遠充軍欽此本部今將節次　聖旨榜文條例刊布
務要人各一本永爲鑑戒

四月二十五日靈谷寺管栽種竹木僧福勝晚於　左順
門奏本寺住持見患有病不能來奏着臣僧來本寺圍門
裏兩邊山上節次奉　聖旨栽種諸般竹木在上如今御
馬監官傳　聖旨着御馬監牧馬所在裏面打草放馬恐
損壞樹木奏上位知道奉　聖旨不許放馬打草奉　聖
旨你把草裏樹與我薅出來欽此

十一月初七日本部官於　奉天門欽奉　聖旨靈谷寺住持病故着禮部與祭祀欽此今照靈谷寺住持道謙見任僧錄司右闡教本部辦素祭遣官致祭

洪武三十年丙午

命僧錄司行十二布政司凡有寺院處所俱建禪堂安禪集衆

天竺泥吧剌國造秘密圖像　勑僧錄司會議焚之

十月十五日本部官於　奉天門欽奉　聖旨近年多有征守鎭戍海運官身故及西平侯信國公等亡故都不曾超度着禮部擇日於善世寺條設水陸三日一夜普度欽

此欽天監選本月十九日開啟二十一日滿散本月十六日本部官於　右順門題奏奉　聖旨是獻佛齋供僧人飯食光祿寺辦造香燭着内官自送去欽此光祿寺官將厨役人齋料前去供給行移五府十二衛取勘陣亡傷故渰没等項及在營病軍官太常寺撥贊禮郎執事道士掌行供佛禮教坊司習悦佛歌舞工部應天府造買木卓牌位及紙劄等物本部委官提調

十一月二十九日住持溥洽於　右順門題原奏准化米道人一十名二十九年三十年病故了三名今有羽林左衛水軍千戶所百戶劉旺下替役老軍周文榮情愿到寺

打勤勞奉　聖旨這個准他欽此當又奏再有一名上元縣住坐脚夫康祖生年六十四歲見有親男應當夫役也情愿到寺打勤勞化米供衆奉　聖旨這般行好用他欽此

洪武三十一年

二月二十九日僧錄司左善世大佑等於　右順門欽奉聖旨江東驛江淮驛兩處盖兩座接待寺着南北遊方僧道往來便當你們明日去看定基址了來回話欽此

禮部爲申明教化等事照得洪武十五年十一月二十一日早本部官同五府各部部官於　奉天門欽奉　聖旨朕

自即位以來一應事務悉遵　舊制不敢有違爲何盖因
國初創業艱難民間利病無不周知但凡發號施令不肯
輕易必思慮周密然後行將出去皆是爲軍爲民的好勾
當所以三十一年天下太平人受其福允炆不守　成憲
多有更改使諸司將洪武年間榜文不行張掛遵守恁衙
門查將出來但是申明教化禁革奸弊勸善懲惡興利除
害有益於軍民的都依洪武年間　聖旨申明出去教天
下官吏軍民人等遵守保全身命共享太平敢有故違者
治以重罪欽此

永樂元年

九月二十九日午時本司官左善世道衍一同工部侍郎金忠錦衣衛指揮趙曦於　武英殿題奏天禧寺藏經板有人來印的合無要他出些施利奉　聖旨問他取些個欽此

永樂五年

二月初六日文武等官　奉天門早朝奏准奉　聖旨着落禮部知道重新出榜曉諭該行脚僧道持齋受戒恁他結壇說法有人阻當發口外爲民欽此

永樂十一年

七月十七日工部尚書吳中于　奉天門早朝欽奉　聖

旨如今京城起盖大報恩寺那軍夫人匠每好生用心出氣力勤緊做工程我心裏十分喜歡恁部家便出榜去分豁等第賞他仍免他家下差撥欽此本部今將欽定事例備榜前去仰欽遵施行須至榜者一軍夫人匠做工一年以上始終不曾離役者每名賞鈔十錠賞布二匹夫匠免戶下雜差役旗軍免餘丁差撥各二年做工半年以上始終不曾離役者每名賞鈔八錠賞布一匹夫匠免戶下雜撥差役旗軍免餘丁差泛各一名做工三月以上始終不曾離役者每名賞鈔五錠夫匠免戶下餘丁雜泛差役軍免餘丁差撥各半年做工中間曾離役一次復自來上工

者再計其上工月日或有一年以上或半年以上或三月以上俱照前例給賞優免做工中間曾離役二次以上者不賞不免差撥有做本名下工程已了再情愿出力做工者賞鈔二十錠賞布四匹免其差撥三年一爲事軍民官吏人等上工始終不逃者原犯笞杖罪名盖寺满日官吏復其職役軍還原伍民發寧家原犯徒流罪名盖寺满日軍官復其原職民官降等序用吏役人等差役寧家原犯死罪者盖寺完日俱宥其死　右榜諭衆通知

永樂十七年

二月十三日朝　見十五日早於　奉天門奏　進註解

法華經一部佛像一軸欽奉　聖旨收了欽此
二月二十八日宣僧錄司右善世道成與二如思擴於
西紅門當蒙頒　賜一如佛像二軸佛骨五塊鈔一千貫
諸佛菩薩名稱歌曲大小三本道成佛一軸思擴佛一軸
大小歌曲各三本當即入　見欽奉　聖旨恁一如思擴
爲朕編類禪宗語錄來看欽此當即題奏中間合無去取
奉　聖旨[illegible]說的都是佛法不要去取欽此
三月初三日宣道成一如等八人於　西紅門欽奉　聖
旨將藏經好生校勘明白重要刊板經面用湖水褐素綾
當日題　奏合無用花綾奉　聖旨用八吉祥綾當又欽

奏　聖旨每一面行數字數合是多少當口題　奏五行六行的皆用十七字今合無只用十七字欽奉　聖旨寫來看欽此

三月初五日道成等於　西紅門口題　奏慶壽寺舊藏經不全聞彰德府有合無差人去取來與新經校正奉

聖旨着禮部差人去取欽此

三月初七日傳　旨要寫經樣看當將侍讀學士沈　寫五行十七字呈看初九日道成等八人將寫的五行十七字六行十七字經板於　西華門進　呈奉　聖旨用五行十七字的欽此

四月二十九日傳　旨外面何處有舊藏經再要取一藏來欽此五月初五日早一如慧進於　奉天門內題　奏

奉　旨要取舊藏經近日取來的僧法湧說蘇州承天寺有舊經一藏合無去取奉　聖旨差人去取就着說的僧同去欽此

五月初七日禮部尚書呂震於　奉天門口　奏各處取到僧人八十九名見在慶壽寺打點書籍合無於內選兩個能事僧人把總提督奉　聖旨是着一如菴進法主總調欽此

五月十九日禮部尚書呂震傳　旨着一如菴進法主來

見二十日二十一日於　西華門聽候二十一日内官姜
傳　聖旨明日二十二日是好日着他來　欽依於本月
二十二日一如慧進於　内用作門裏奏　聖旨你兩個
做僧官校藏經再尋一人欽此當又口　奏外面人少有
能義見在慶壽寺病將好了奏　旨明早着　午門上來
欽此二十三日早於　奉天門欽授行在僧錄司右覺義
職就呈　看經樣當又欽奉　聖旨能義病好時着他到
經筵去管事欽此
六月十五日於　西華門進　呈禪語式樣口題有等始
自世尊拈花終至中峰廣錄機緣語句照依年代次第編

集各分門類如近代禪宗編的禪宗類聚合無依那等編修奉　聖旨只依禪類聚去編當　奏其中或有但言事蹟不涉機緣語句合無如何奉　聖旨都編着當又口題佛祖語下後來禪宗諸師多有拈頌只恐煩雜合無去取奉　聖旨不要去又題禪林類聚門該一百零二條臣恐煩碎如錫杖鞋履等編入罷用等門併作二十八條請旨定奪奉　聖旨只依他當又題見修藏經臣僧等共計一百二十名已校過一番了只令各僧互相校對欲就七月初將般若華嚴等經差訛少者先寫起奉　聖旨如今天道熱待七月半後欽此

七月初九日一如同思擴於　御用作門裏呈　看僧人
子謨等六十四人所寫字樣奉　聖旨好當題後面有幾
僧還欠寫奉　聖旨只就今日好日揀好的寫又題唐太
宗刊的藏經前面有御製三藏聖教序令　聖朝重刊合
無亦用序文奉　聖旨不要又題藏經裏面各品上多有
安經題蘇州取來舊經品目上皆無經題奉　聖旨不要
如論語各篇目上有論語二字來又題且如法華經世間
讀誦者多品目上亦有經奉　聖旨也不要欽此
九月十二日一如等題　奏藏經目錄裏面前是經律論
後是各宗祖師文字　聖朝所編的佛名經與名稱歌曲

神僧傳目錄内合無編寫在經律論後諸宗文字之前奉
聖旨安在後只要有朕名時便了又奏 太祖高皇帝有
御製心經序 聖朝詣呪前亦各有序合無於各經前都
寫上奏 聖旨 太祖皇帝於佛法上多用心都寫上又
奏累朝如唐太宗宋太宗等經前多有序文合無寫上奏
聖旨都寫上欽此
十一月初七日 賜紵絲綿直裰偏衫中袖各一領衆僧
段機直掇等皆用綿亦各三領次日傳 旨免謝 恩着
衆僧用心看寫藏經欽此
永樂十八年

正月十六日入　内觀燈宴十七日早　宣一如菴進法
主思擴未至二人於　西紅門見著看師子畢　勅問藏
經校得好了當奏云已七番校過好了奏　旨云上緊用
心又令内官尚　將折桂令醉太平鴈兒落三曲來看奏
旨你看不要管他腔調只看中間字義如何又　勅問你
夜來看燈來奏云曾看有　旨云着人尋你如何不見奏
云在後靣有又奏　旨云不曾擠了麼奏云不曾又奏
旨云與燒餅各五十齋了去欽此
三月初六日午　宣入同　進擴袁仁二道士五人道官
於　西紅門賜坐奏　聖旨這尼姑無禮稱唐菩薩見着

去拿了故着你每入來說與你每知道又奉　旨道家的經好生紕繆且老子稱淨樂國王在於何時袁對云無年代又奉　旨你每校証的藏經好麼奏曰已經多番校過好了又奉　旨且如有報恩重經等不是佛說的休入藏裏奏曰止如分數珠經血盆髙王經等皆非佛說不可入藏又右講經琮奏曰道家有太上實錄謗佛奉　旨向年間着收來還也不曾追劉淵然該殺的有道士袁奏曰太上實錄多有好言語在内奉　聖旨我敬佛他謗佛罵了我心不喜欽此

三月初七日頒　御製經序十三篇佛菩薩讚跋十二篇

寫各經之首

七月十八日早一如等於　奉天門口題夢感功德經南京藏内已入太字函今合無就　聖明諸佛名經等編入後面奏　聖旨荒唐之言不要入如當又題奏昔日　太祖皇帝取到各處高僧　命如玘宗泐等註解心經金剛楞伽三經頒行天下内有　太祖皇帝御製序文合無寫入藏刊板奏　聖旨寫入又題　聖朝佛菩薩名稱歌曲作五十卷　佛名經作三十卷　神僧作九卷即目見寫奏　聖旨是好又奏　旨問藏經内字寫得好麼奏云得那兩個提調的中書好生用心終日不停手但是字有大

小不均偏邪不正的一一皆令換過以此寫得十分好又
奉　聖旨問經板着幾時刊奏云看工匠多少又奉　聖
旨着二千五百一年了得麼不敢對又奉　聖旨經板刊
後留在何處亦不敢對當奉　聖旨明日安一藏這里安
一藏南京又奉　聖旨石上也刻一藏大石洞藏着向後
木的壞了有石的在又奉　聖旨這里盖兩個大寺如今
僧内取來的有聰慧的選下些明日起大寺了着他在這
里住當奏云僧裏面只是老的多了又奉　聖旨有病的
着他回去又如今寫經的都念經奉　聖旨也難遇着他
念經當又欽奉　聖旨寫經的寫經也要辦我的事欽此

七月二十七日午 宣聞祿天裔於 西紅門見奉 聖
旨勉力修行一如奏云且一心了藏經奉 聖旨了藏經
了過一二年着人替你你修行欽此 賜七佛偈兼 賜
看子昂所書者
八月十九日海印如等十二人慶壽擯等四人入 內賜
坐就聽 聖旨問黃和尚心經欽蒙 賜齋而退
十二月十八日行在僧錄司左覺義慧進等謹 題爲謄
寫藏經事除謄見行打點查對外今查得聯珠頌古等皆
係南京藏內增入請 旨合無除去惟復刋入爲此今將
各件名目卷數開後謹具題 知

計四件共一百四十二卷　今將作一百六十九卷

禪宗

聯珠頌古二十一卷　宋淳熙年間僧法應原編

又延祐年間僧普會續編今淨戒重校刊入

古尊宿語　宋咸淳年間僧賾藏主原編今淨戒

除去原編僧名重校刊入

續傳燈録三十六卷　不見原編集僧名傳説是

居頂將古人所編刊入

講宗

佛祖統紀四十五卷　宋景定間僧志磐撰今管

藏經僧寶成募緣刋入十九日傳奉　欽依不入藏欽此

永樂十九年

正月二十一日僧錄司左覺義慧進等　題爲謄寫大藏經事除謄寫已完現行打點外恭惟　聖朝校刋藏典乃千載之希遇臣慧進等伏請　御製序文以冠經首增輝佛日流傳萬古實爲敎門至幸爲此謹具題　知

正月三十日司禮監太監孟　取新經五十函入內至二月初一日晚長隨官人來說初二日早令官人秀才和尚入　內朝　上御奉天門看經有　旨寫得好明日年老的好看又奉　旨你刋經板了着你每坐山去　我也結

此緣又問板就那裡刊好不敢對有　旨就寺裏刊好慧
進云前後是水好一如奏云校經寫字和尚合無着他回
去留他奏　聖旨恰不留他刊板時字有差錯問誰休着
他去又　勑太監孟十二布政司便去取匠人欽此當
賜傳心妙訣一本衆僧各一本
八月初十日傳奉　欽依校寫藏經的僧官僧人如今且
着他回去明年不來後年來是你教門的事若待文書取
時不便修行的僧人經板刊了送你坐山供你欽此
永樂二十年
九月二十四日　宣衆僧官成進如朗住持擴擇至　西華門

賜齋　御讚觀音菩薩輪子金剛數珠人各三件有　旨
着天下衆僧七日齋後各自回去次日傳宣至　西華門
有　旨賜天下預會僧官僧人輪子次日即給散
十月初一日傳　旨着衆僧來成光進如朗弁大佳持擴
釋　上御思善門　賜彌陁佛一軸各人不定　西番文殊菩薩
一軸各人不定有　旨多愼内隨意取
十月初六日　上御奉天門　賜僧道官宴天下衆僧亦
在丹墀宴畢先　賜一如刻絲觀音菩薩有　旨問云你
道是什麼不敢對　上云我兩年攏布的文水晶數珠一
串

宣德三年

行在僧錄司近蒙行在禮部祠祭清吏司手本奉本部連
送爲度牒宣德三年二月二十四日早本部官于　奉天
門口奏本年二月二十四日御用監太監孟繼尚義等於
武英門欽奉　聖旨南京大報恩寺佛殿寶塔完了說與
禮部知道着僧錄司選行童一百名與他度牒常川點塔
燈欽此欲便欽遵施行未敢擅便奉　聖旨是欽此除欽
遵外擬合連送仰行在僧錄司欽遵各處行童內選取能
通經典有戒行者一百名送部看驗堪中仍取勘年籍出
家披剃等項緣由造冊申繳以憑出給度牒送去常川點

燈施行連送到司合用手本差辦事吏陳福賫捧前去行
在僧錄司欽遵施行賫捧到司除欽遵外今將選取堪中
行童等各年籍出家披剃等項緣由開坐理合備造文冊
施行須至冊者

大報恩寺起工之初監工官內官監太監汪福等永康侯
徐忠工部侍郎張信軍匠夫役十萬人奉勅按月給粮賞

三月十一日　勅太監鄭和等南京大報恩寺自永樂十
年十月十三日興工至今十六年之上尚未完備盖是那
監工內外官員人等將軍夫人匠役使占用虛費粮賞以
致遷延年久今特勅爾等即將未完處所用心提督俱限

今年八月以裏都要完成遲悞了時那監工的都不饒寺完之日監工内官内使止留李僧崇得在寺專管然點長明塔燈其餘都拘入内府該衙門辦事故勑欽此

三月十一日　勑太監尚義鄭和王景弘唐觀羅智等南京大報恩寺完成了啟建告成大齋七晝夜然點長明塔燈特　勑爾等提調修齋合用物件着内府該衙門該庫關支物件造辦打發供應物料及賞賜僧人就於天財庫支鈔着禮部等衙門買用塔燈用香油着供用庫按月送用故勑欽此

四月初十日鎮守襄城伯李　欽奉　勑書洪武年間

太祖皇帝原撥　賜大報恩寺當江沙洲等處蘆塲砍斫蘆柴入寺應用比聞爲人所占　勅至即照舊與之及寺西越王臺下有空地一段原做木廠如今空閑不用就撥與大報恩寺種菜供衆如非原舊撥賜蘆塲及空閑仍具奏來故勅欽此

計開

句容縣撥下新洲蘆塲貳拾伍頃

江浦縣撥臘貞洲尾貳拾頃

浦子口巡檢司撥臘貞洲壹拾柒頃

三處撥還本寺蘆塲共計陸拾貳頃

坐落楊子大江當江沙洲通天四至

東至布裙套高資鎮巡檢司場

南至綵綱港句容縣場

北至龍骨洲馬腰洪浦子口巡檢司場

西至芹菜港　孝陵

六月十六日御用監太監尚義於　左順天門奏南京大報恩寺洪武年間撥賜官廊房肆拾貳間與常住討房錢用永樂十年蓋寺展拆了如今將本寺前面的廊房照數撥與他奏知奉　聖旨是着工部兵馬司還撥與他欽此

計開

撥廊房肆拾貳間

三百一十六號至三百五十七號肆拾壹間

南字七百八十五號壹間

每間一年房租銀叁兩陸錢

六月十六日御用監太監尚義於　左順門奏南京大報恩寺已完殿宇數多合無存留經手人匠五十六名在寺修理應天府撥人夫五十名常川打掃疏通溝渠南城鳳臺街四鋪總甲輪流巡緝仍着原管工指揮劉勳帶管提調奏知奉　聖旨是着該衙門撥用欽此

各殿丈尺

金剛殿高三丈一尺二寸深三丈五尺二寸五分長七丈六尺

左碑亭高四丈五分深二丈一尺長三丈三尺五寸

右碑亭高四丈五分深二丈一尺長三丈三尺五寸

天王殿高四丈六寸五分深四丈八尺五寸長八丈三尺五寸

佛殿高七丈一尺五寸深十一丈四尺三寸長十六丈七尺五寸

穿廊高二丈六尺深二丈七尺二寸長三丈二尺九寸

遊巡廊高二丈四尺四寸六分深三丈二尺九寸長一丈七尺五寸

觀音殿高四丈二尺四寸五分深三丈六尺長五丈九尺

法堂高三丈八尺深四丈六尺五寸長八丈一尺

御亭高三丈一尺二寸深三丈五分長七丈六尺

祖師堂高二丈八尺五寸深三丈三尺長四丈三尺

伽藍殿高二丈九尺深三丈五尺五寸長四丈六尺六寸五分

經藏殿高四丈一尺八寸深五丈三尺五寸長五丈

三尺五寸

輪藏殿高四丈一尺八寸深五丈三尺五寸長五丈三尺五寸

畫廊共一百一十八間高二丈二尺六寸深二丈四尺五寸每間長二丈四尺五寸

禪堂高四丈三尺五寸深六丈四尺長十一丈二尺

厨房高三丈三尺四寸深五丈六尺三寸長十一丈九尺

庫房高二丈八尺一寸深五丈一尺八寸長七丈五尺

經房高二丈三尺五寸深三丈五尺長七丈二尺兩邊房三十八間

東方丈高二丈八尺五分深五丈一尺八寸長七丈五尺

西方丈高二丈八尺五分深五丈一尺八寸長七丈五尺

三藏殿高二丈六尺五寸深四丈三尺長　丈五尺

寶塔丈尺

寶塔一座九層通高地面至寶珠頂二十四丈六尺一寸九分地面覆蓮盆口高二十丈六寸

寶塔幷各殿香燭燈油數寶塔點燈用油數

每一層十六盞每一盞該油陸兩肆錢每一層見一日該油陸斤陸兩肆錢八層共油伍拾壹斤叁兩貳錢月大該油壹千伍百拾叁斤月小該油壹千肆百捌拾壹斤壹拾貳兩捌錢

紅臘燭　叁斤重拾貳枝計陸對壹斤重拾陸枝計捌對捌兩重貳拾肆枝計拾貳對

香油　月大用貳千貳百肆拾陸斤肆兩月小用貳千壹百斤

佛殿幷兩廊等處　月大用叁百拾伍斤月小用

叁百肆斤捌兩

塔上點燈用　月大用壹千玖百叁拾壹斤肆兩

月小用壹千捌百陸拾陸斤拾肆兩燈草壹斤

叁兩叁錢壹分

告示點燈僧人

仰輪班點燈僧行各依牌次該點燈日期一一親身早赴斜廊門下候領官油上塔務要各層燈盞添注平滿燈心照舊根數不許奸計省尅每於申未時分該班會同上塔添油剔燈各要明亮毋得早晚昏灺蒙昧仍令該班班頭逐層點視遇有此

等報知次日决責至若輪班已滿之日各層掃拭乾淨龕皿見數交替代過每月上下打掃刮抹燈盞油盤等處巡有燈窗蝌殼損壞處所即着該修補毋致延碍日久遞相支吾臨期决不容辦倍罰修理自今之後務要遵守常規不失如有仍前奸計疎慢蹈犯不遵者各照該班挨名究治

六月二十日早　御用監太監尚義遞出揭帖開於　左順門奏南京大報恩寺預會誦經行童金勝保一千一十三名告要關給度牒奉　聖旨着禮部南京關與他度牒就着在那裏各寺住坐誦經欽此

宣德五年

五月二十九日司禮監太監王振於　端拱門欽奉　聖旨恁寫帖子去說與楊慶等知道洪保奉南京金川門外路東西有空閑菜地二處與靜海寺天妃宮常住僧道栽種文書到日撥與他種欽此欽遵

計開

靜海寺一百三十畝八分　一段六十四畝五分

金陵梵刹志卷二終

鍾山
大路

靈谷寺右景
西湖
紅門
皇墻
城河
朝陽門
平橋

靈谷寺左景
八功德水
靜室
法堂墓
十方律堂
金剛
放生池
假山
水洞
圍墻
第一禪林
水洞
淩大德畫
劉希賢刻

中方丈
供衆律堂
供衆禪堂
法堂
十方禪堂
五方殿基
無量殿
天王殿
鐘樓
東寮
西寮
左方丈
右方丈
水洞
圍墻
路
觀音閣
大路

金陵梵剎志卷三

大剎 鍾山靈谷寺 古剎 勅建

在都城東鍾山左獨龍崗麓離朝陽門十里鍾山即蔣山梁天監十三年武帝爲誌公建塔於山南玩珠峰前名開善精舍更爲寺唐乾符中改寶公院開寶中改開善道場宋太平興國五年改太平興國寺慶曆二年府尹葉清臣奏改十方禪院尋復寺額 國初名蔣山寺因塔邇 宮禁洪武十四年 勅改今地 賜額靈谷禪寺蔥蔚深秀中宏外拱勝甲天邑山門 勅書第一禪林寺左爲梅花塢春來香雪萬株倍增幽勝入寺萬

松杏霤可五里許有放生池植荷其內歷金剛天王二
殿爲無量殿純甃空搆不施寸木次爲五方殿已圮今
擬重建又次爲大法堂及律堂而寶公塔巋然在焉左
爲法臺基臺前有街俗名琵琶履之吰然響應撫掌若
彈絲臺後引八功德水紆縈九曲右爲方丈扁以青林
堂榜　宸章其上又右爲禪堂右之前爲左右方丈及
公塾庫司今無量殿圜齋禪律二堂方丈公塾皆泥新
嚴嵩不失壯觀　聖祖命贍僧千人　賜田獨倍他寺
僧衆額設右覺義一人總其事所統次大刹一郭外曰
棲霞中刹十一城内曰銅井曰興善郭内曰觀音閣曰

佛國郭外曰疊善曰定林曰光相曰三禪曰廣惠曰法清曰草堂

殿堂 石洞門賜額第一禪林旁有門房叁楹 金剛殿伍楹 天王殿伍楹 無量殿伍楹 五方殿止存基址今擬重建 大法堂伍楹 左伽藍殿伍楹 右祖師殿伍楹 鐘樓壹座 方丈叁所中方丈拾貳楹左方丈陸楹右方丈陸楹 公學拾楹 庫司陸楹 僧院捌拾房食粮牒僧叁百伍拾名食粮學僧壹百伍拾名 寺基伍百畝東至馬鞍山南至官路西至神宮監北至鍾山官牆

禪堂 韋䭾殿叁楹 法堂叁楹 禪堂前後叁層共拾伍楹 十方堂拾楹在本堂外大法堂之右 華嚴樓伍楹 齋堂靜室即在華嚴樓下共伍楹 廂樓肆楹 倉庫廚茶等房共拾貳楹

律堂 韋䭾殿叁楹 法堂殿伍楹 寶公塔伍級 律堂

左右四堂共貳拾楹

十方堂拾楹在本堂外大法堂之左　齋堂伍楹　靜室伍楹　倉庫廚茶等房共捌楹

公產

靖東庄丈過實在田地塘共玖千壹百伍畝玖分伍厘

安西庄丈過實在田地塘共壹萬貳千貳百肆拾陸畝叁分陸厘

溧水庄丈過實在田地山塘共壹千陸百玖拾叁畝陸厘

柳橋田實在田地山塘共貳百叁拾玖畝陸分伍厘

白水洲田丈過實在田壹百壹拾捌畝叁厘

十大洲丈過實在洲壹千貳百貳拾畝貳分

禪堂

悟真庄丈過實在田地山塘共貳千壹百陸拾柒畝玖厘

桐橋庄丈過實在田地山塘共壹千叁百捌畝捌分陸厘

陳橋茄地洲丈過實在洲貳千壹百叁拾捌畝叁厘

律堂

龍都庄丈過實在田地塘共叁千陸百肆拾捌畝玖分柒厘

散甲庄丈過實在田地山塘共伍百壹畝捌分叁厘

山水

鍾山高壹百伍拾捌丈周陸拾里上有蔣子文廟吳大帝避祖諱改名蔣山又名聖遊山梁朝

以前有寺柒拾所唐地理志江南道名山衡廬茅蔣

八功德水 在舊唐真菴後僧法喜以居無泉竭誠禮懺求西天阿耨池八功德水方求七日遂獲此泉一清二冷三香四柔五甘六淨七不饐八蠲痾自梁以前嘗取給御洪武年間遷寺時舊池就湮從寺東馬鞍山下遞出先年以木爲筧遞水入寺宣德五年以石梘易之因火災後三年水竭不到至正統元年久旱忽湧出如初今復竭

放生池 寺前　太祖役萬工掘成池岸甃以石栽蓮數百株於內

梅花塢 寺前東南

獨龍岡 皐地

【古蹟】

五里松 由山門入長松覆路不下數萬株與山色爭翠五里方至寺

寶公塔 高五級寶誌公葬其下梁永定公主建開善寺前　國朝徙此崇麗可登覽

琵琶街 說法臺前指掌如奏絃山谷皆響

三絕碑 唐張僧繇畫大士像李白贊顏真卿書爲三絕下復有趙孟頫書誌公十二時歌

景陽鐘 在無量殿元時鑄制度精古　以上俱存

【人物】【梁】

寶誌 有誌銘行實併贊

智藏 有傳畧

僧副 梁高命匠人考其室宇於開善

寺側每逍遥于門負杖而嘆曰環堵之室蓬户甕牖匡坐其間尚足爲樂寧貴廣廈而賤茅茨乎會西昌侯蕭淵藻出鎮蜀部拂衣附之庸蜀久之反金陵復住開善

警韶 敷演經論解冠群宗

智遠 梁建安侯蕭正立普明寺居之定水既澄慧門復敞歷名山還住開善畢志山泉城闕不窺世華無涉守靜自怡以終老焉

宋慧懃 嗣五祖得度每以唯此一事實餘二則非真味之有省徧參名宿居蔣山賜徽號紫衣

懷深 遊住蔣山留西菴請益鑑公公曰資福知是般事便休師曰某實未穩鑑反覆窮之大豁呈偈曰秖是舊時行履處等閑舉着便諳訛夜來一陣狂風起吹落桃花知幾多鑑撫几曰這裏豈不是活祖師

普崇 住鍾山上堂云殘雪既消盡春風日漸多若將時節會佛性又如何且道時節因緣與佛法道理是同是別良久云無影樹栽人不見開花結果自馨香

曇華 在梅陽有偕以偈寄之曰坐斷金輪第一峯千妖百怪盡潛蹤年來又得真消息報道楊岐正脉通其歸重如此

善直 初參妙喜於回鴈峯下喜問曰何處人師曰安洲人喜曰我聞安州人會厮撲是否師便以相

撈勢師曰湖南人喫魚因甚湖北人着鯁師打筋斗而出喜曰誰家冷灰裏有粒豆爆出

贅元 造石霜見慈明圓禪師乃曰奸好著槽廠去師作驢鳴明曰眞法器耶號爲侍者二十年搬柴運水不憚寒暑著江寧府帥請居寶公道場丞相王安石重師德望奏賜章服師號與師蕭散林下清談終日

法泉 有傳

良策 出世華藏次遷鍾山一日上堂云雪消滅畧分外寒向火容易涉道艱難好是和衣打睡任他日上闌干祖師沒腰臂吾徒莫作等閑光陰荏苒人事多端這邊綠水那邊青山難難百年三萬六千日看看便見鬢毛班山僧與麼說話未免拖泥帶水

【元】**清遠** 有傳畧

妙高 有傳畧

【明】**智順** 有誌畧

東溟 有誌畧

梵琦 有誌畧

樸隱 有誌畧

清濬 洪武四年設普度大會於鍾山師其一也引見 上勞問甚至錫賚還四明後 召補右覺義二十年被 旨即靈谷設普度大齋陞座說法感佛放光現瑞

道謙 補住靈谷 上嘗親製詩十二首以寵其行以高僧取至京師 召見授左闡教兼住靈谷

居頂 選預高僧赴見 太祖對揚稱旨即授僧錄兼

住靈谷　文皇帝即位屢加恩賚日被榮寵

淨戒值覺源曇公住天界曇舉桶箍爆的公案問之擬議未即答曇厲聲曰早遲八刻了公於言下大悟太祖授左覺義兼住雞鳴後　文皇帝勑住靈谷陞右闡教有遺骨塔于大祠山才齒數珠不壞藏于湖之道塲

能義居鍾山閑房非行誼高潔者不與之接　文皇帝雅重之　召對無虛月每　命講說楞嚴大義俾住靈谷授僧錄

行容住持

仲義有勑見御製集

守仁有詩

夷簡右善世有詩

正映左講經其自贊曰春去叢林夏又過客臉隨分守禪那懶人不暇西天驗靴鏡毋勞南嶽磨三箇木毬權放下一條柱杖且橫拖問余布袋何時解蟾桂秋風散玉河

可浩右覺義住持靈谷有重修寶公塔記

附叅講棲覽

〔晉〕謝尚隱鍾山

〔宋〕劉勔散騎常侍經始山南以爲棲息聚水積石朝士雅素者多從之遊

〔梁〕阮孝緒於鍾山聽講母氏忽有疾兄弟欲召之母曰孝緒至性冥通必當自至果心驚而返

劉訏字彥度與族兄歊阮孝緒爲三隱卜築鍾山志終焉着穀皮冠披衲衣遊山澤風神頴俊

意氣彌遠

沈約 遷尚書令雖名位隆重而居處儉約嘗立宅鍾山之下既成劉杳贊之約報云惠以二贊詞采妍富便覺此地十倍

陳張譏 陳後主嘗幸鍾山召從臣松林下共談勑張譏豎義時索麈尾未至後主取松枝手屬譏曰此可代麈尾顧語羣臣此即張譏後事

隋薛道衡 嘗遊鍾山開善寺謂一沙彌曰金剛何爲努目菩薩何爲低眉沙彌荅曰金剛努目所以降伏四魔菩薩低眉所以慈悲六道道衡撫然稱善

唐韋渠牟 隱鍾山有贈詩

宋蘇軾 王安石 軾自黃徒汝過金陵荆公野服乘驢謁於舟次子瞻迎揖曰軾今日敢以野服見大丞相公笑曰禮豈爲我輩設哉乃相携遊蔣山在方丈飲茶公指案上大硯曰可集古詩聯句賦此子瞻應聲曰軾請先道一句因大唱曰巧匠斲山骨公沉思良久起曰且趂此好天色窮覽蔣山之勝　又子瞻渡江至儀真和荆公遊蔣山詩後寄示荆公荆公亟取讀至峰多巧障日江遠欲浮天撫几嘆曰老夫一生詩無此二句

文

御製蔣山寺廣薦佛會文 洪武四年十一月二十一日

朕觀二儀有象覆載無窮凡中國之人及化外之夷獲安于世者莫非陰陽為之表裏何為陰何為陽上至天子大臣下至庶民凡生天地能動作運用者此之謂陽天子郊祀天地祭嶽鎮海瀆諸侯祭境内山川庶民祭祖宗皆求其神有名無形有心無相此之謂陰故中國與化外之人所敬之心則同所祀之禮則異觀自古至今相傳祭祀鬼神之事豈不重乎然事鬼神必有禮有時毋犯分毋越禮毋非時毋昧於鬼神若昧於鬼神則為鬼神亦難矣且聰明正直變化不測之謂[illegible]禍福所施必不以親踈而異但世人愚而貪欲[illegible]干犯分越禮不知以敬求神在

於有禮有時也朕本農夫自幼托身佛門忽經大亂不得
已而從戎於二十年矣向與群雄並驅之時務在操兵登
隊救民於彷徨之中今禍亂已平天下已定未嘗朝僧暮
道妄祀鬼神有所祀必以禮有所祭必以時尚慮軍民身
經大難凡死者或遭兵刃或陷水火或迫於危急而自縊
投河或潛入山林而蛇傷虎咬或天災而殞滅或因互鬬
而殺傷或爲國宣力而殞命或思父母妻子因疾而亡身
凡此諸等死者或蒲門滅絶無祭無依或雖有眷屬不能
顧念或有父母妻子因兵流離生者未安死者誰爲之祭
朕以巳心度之此等鬼魂遇天陰時莫不呻吟於風雨之

間遇晴明時莫不悲號於星月之下或因生前作悪留連冥冥之中無由自脫又如我朝大軍征討四方遠入宅境或餱糧不繼一時手刃平民或遇壯軍之無故燒毀房舍殺害老幼殘疾致惹重愆有累身後朕今因死者恐不得生天恐有寃報故作大善佛事爲死者超升生者解寃以此干求于佛令臣民將以爲帝王之道但理見在何求過去果有此言莫不善乎然吾觀古書孔子有言西方有大聖人不治而不亂不言而自信不化而自行則佛者豈特中國所敬雖化外尤尊洪武三年正月十五日朕於鍾山前蔣山寺奉佛供僧實不爲己假若朕爲己求福福必不

至何也蓋帝王設施皆出臣民之力已無勤勞之資若以財力而求福於一已可乎今特爲死者超升生者解寃吾不昧於佛以禮以時香華燈燭莊嚴素供朕躬率先倡臣叅禮此之謂禮今區宇平定亂極而治故爲生死者多方以解寃愆此之謂時吾之不昧於佛者如此尔諸臣民凡有自知所作之非趍此大齋洗心格慮素齋一月至日各於家門望佛遥拜以祈懺悔庶資佛力證成善果

洪武十五年九月

御製大靈谷寺記

朕起寒微統一華夷鼎定金陵宮室於鍾山之陽寄邇寶志之刹其森修者升高俯下日月殿閣有所未宜特敕移

寺凡兩遷方已今道場之所非尋常之地其勢川曠水縈且左邊以重山右掩以峻嶺背靠穹岑排森松以摩霄漢虎嘯幽谷應孤燈而侶影鸎囀岩前啟修人之清興飲潔流於山根浩鉢水於淵外魚躍於前淵鳥棲於喬木鹿鳴呦呦為食野之萍當欲遷寺之時命太師李善長詣山撑地及其歸告乃以山川形勢禽獸之所以云云若是既聽斯言朕歡欣不已此真釋迦道場之所也即日召工曹會百工趨所在而建址共百工者聞用伎以安寶志曜靈法佛人皆如流水之趨下嗚呼地勢之勝豈獨禽獸水族之樂伎藝之人惟利是務云何聞見道場不憚勞苦一心皈

向自洪武十四年九月十一日工興至洪武十五年九月十五日工曹奏完朕爲釋迦道場役百工各施其伎今百工告成朕善其伎特命禮曹賜給之工曹復奏伎藝若是有犯工者五千餘人爲之柰何朕忽然有覺憶佛善無上道場既完安敢再罪當體釋迦大慈大憫雖然真犯特以眚災一赦既臨輕者本勞而逸死者本死而生歡聲動地感佛慈悲吁佛之願力輝增日月法輪建樞燈繼香連於戲盛矣哉願力之深乎然是時國務浩繁不暇禮視身雖未至夢遊幾番此觀之歟夢之歟嗚呼未嘗不欲體佛之心而謂衆生悟柰何愈治而愈亂不治而愈壞斯其言乃格

前王之所以今欲寬不可猛不可云何一日潔已而往視去將近剎餘里俄谷深處嵐霞之抄出一浮屠之頂又一里將近山門立騎四顧見山環水迂禽獸之所以果然左群山右峻嶺北倚天之疊嶂復穹岑以排空諸巒布勢若推螺髻於天邊朝鶴摩天而翅去暮猿挽樹而跳歸喬松偃蹇于崖畔洞雲射五色光以天霞此果白毫之像耶谷靈之見耶朕欲有謂恐愚夫議之故默是耳今天人師有殿諸經有閣禪室龕備雲水有寮齋有大厦香積之所周全設像備具以足朕心故敕記之

御製靈谷寺塔影記　永樂五年四月二十六日

四月十五日朕偕灌頂通悟弘濟大國師日旄領禪伯往靈谷觀向日所見塔影朕至誠默禱曰願祝如來大寶法王西天大善自在佛吉祥如意若果鑑朕誠心則示塔影一已而塔影隨見朕又默祝願天下太平五穀豐登家給人足民不夭閼物無疵癘若果遂朕心更示塔影一已而復見塔影二一時之間三塔畢見其色始若黃金在鑛含輝未露俄若躍冶之金精光熠爍少焉如泥金布練毫芒紛敷若注若流綺窓綵檽黝堊丹碧粲然呈露至暮有五色圓光光中見二佛像及如來大寶法王西天大善自在佛像已而復見寶公像拱立于前内官僧官具以來聞朕

未之信至十六日復與灌頂通悟弘濟大國師往塔影之所朕又默祝曰明日朕初度之辰吉慶福祥則塔影更見已而又見塔影二一照于壁一映于地與前塔影連而爲七其色或黄或青流丹炫紫紺緅間施錦繡錯綜若琉璃映徹水晶洞明若琥珀光若珊瑚色若瑪瑙琿璖文彩晃耀若淵澄而珠朗若山輝而玉潤若丹砂聚岀若空青出穴若鳳羽之陸離若龍章之焱灼若霓旌孔蓋之飄揺金支翠旗之掩映若景星慶雲之炳煥紫芝瑶草之爛斑若陽燧之迎太陽方諸之透明水若日出而霞彩麗也雨霽而虹光吐也巖空而電影掣也閃爍蕩漾　動光溢雖極

丹青之巧莫能圖其萬一雖極言語形容莫能狀其萬一至於鈴索振摇寶輪層疊霤甍之鱗鱗闌楹之縱横玲瓏踈透一一可數人之行走舞蹈咸見於光中其所服之色各隨而見若鳥雀銜過樹動花飛悉皆可見而天花雨虛悠揚交舞十七日花徧下其大者如盃小者如錢東西兩廡又見塔影十光輝照燭皆如前之勝妙十八日朕復往觀塔影光彩大勝於前有雲彩五色輪囷煥衍郁郁緼緼非霧非煙低翔裵回蔥籠塔影之上乍舒乍斂往而復續變化萬狀不可殫述塔心復見塔影一而已青篁綠樹之影紛紛然畢呈塔殿上所製七生九異香芬馥充達遠近至

暮留灌頂通悟弘濟大國師在寺觀之十九日早灌頂通悟弘濟大國師來報塔影第一層見如來大寶法王西天大善自在佛像三見羅漢像六環立左右第二層見紅色觀音像一左右見菩薩像四侍立拱手捧香花供養有圓光五色覆于塔上寶蓋㫋旛瓔珞葳蕤凡物只有一影今一塔而見多影要非常理所可推測此皆如來大寶法王西天大善自在佛道超無等德高無比具足萬行闡揚道實釋迦牟尼佛再見於世以化導群品是以攝受功至顯兹靈應不可思議朕心欣喜難以名言灌頂通悟弘濟大國師回必能言塔影之詳然所言亦必不能盡其妙也就

今畫工圖來一觀蓋萬分得其一二爾

藏經護勑　正統十年二月十五日

朕體　天地保民之心恭成　皇曾祖考之志刊印大藏經典頒勑天下用廣流傳兹以一藏安置南京靈谷寺永充供養聽所在僧官僧徒看誦讚揚上爲國家祝釐下與生民祈福務須敬奉守護不許縱容閑雜之人私借觀玩輕慢褻瀆致有損壞遺失敢有違者必究治之故諭

本寺護勑　成化九年正月二十四日

皇帝勑諭官員軍民諸色人等朕惟佛氏之教以空寂爲宗以慈悲爲用開導善類覺悟群迷功德所及無間幽顯

此有國家者所宜崇尚而不替也南京靈谷寺實我　太
祖高皇帝勑建爲　孝陵香火特撥賜贍僧田土并當江
沙蘆塲等處入寺供用其後　太宗文皇帝又添造殿宇
山門宣德年間寺燬于火雖有歲入錢粮缺人收積修理
暨朕嗣位之六年特命僧錄司左覺義德默往彼提督漸
次蓋造所以上爲　祖宗列聖舉已墜之典下爲國家生
民祈方來之福今德默奏言本寺歲久被人作踐攪擾用
是特須勑護持凡官員軍民諸色人等自今以往毋得出
入作踐縱肆樵牧輕易褻瀆欺陵及不許侵占原撥蘆塲
并贍僧田地敢有違者許本寺住持指名奏聞論之以法

欽哉故諭

〔文〕開善寺碑銘 寺舊名開善 梁王筠

妙門關鍵闢之者旣難法海波瀾游之者未易是以軒稱俊聖堯曰欽明韶護有美善之風文武致時雍之業地平天成惟事即世移風易俗匪止今身至如訪道崆山乘風獨遠凝神汾水窅然自喪或宗仰黃老之談景慕神僊之術斯蓋不度羣生專局諸己篤而爲論道有未弘熏風璿露散馥流甘璧月珠星聯華飈葉脩旛繞於雲根和鈴響於天外玉池動而揚文寶樹搖而成樂銘曰亭亭切漢耿介凌煙層甍霞聳飛棟星懸

答廣信侯開善寺聽講書　梁簡文帝

王白仰承北往開善聽講涅槃縱賞山中遊心人外青松白霧處處可悅奇峯怪石極目忘歸加以法水晨流天華夜落往而忘反有會昔言王牽物從務無由獨往仰此高蹤寸心如結謹白

開善寺修誌公堂石柱記　唐李顧行

蓋六度爲萬行之本施檀其一焉然以不住相而爲者其用大不希福而捨者其道弘故我廉察使御史大夫贊皇公是以有法財之施焉亦猶真諦無像因像以教立至人無功由功而用顯誌公和尚者實觀音大士之分形者歟

然跡見于近代梁書具載其事夫妙覺本寂法身圖（一作圓）對應群品而必呈觀衆生而常度故利見則洪鐘待扣感畢乃慈航息運初誌公之未遷滅也梁武帝命工人審像而刻之相好無遺儼然若對建窣堵波于金陵之開善寺聖功冥化歷代瞻敬人欽其神者二百餘祀公乃具綵舟設旛蓋而迎至則置于聽事西偏方丈之淨室每旦散名花爇靈香時復膳百味鼓八音以展誠敬以申供養公曰觀其寂然不動契定慧于真宗杜口無言若息心于了義夫色相如影則遺像與全身不殊文字性空則言語與寂默奚異吾知之矣吾得之矣亦既觀相爰歸本寺幢幡贊

唄，如始至焉。公乃減清俸，鮮上服，命修珠帳，飾花座，因陀之罔，疑如懸上帝之寶，咸在其餘，則置膏腴之田，以供香火之用。所以崇像設，顯靈蹤，弘有爲之教，俾蒙昏之類，永有所依。歸僧徒等，欲昭示於後，以圖不朽，請刻石以紀事。小子承命而述焉。長慶四年三月十一日記。

致齋寶誌公青詞　宋太宗

宋太平興國七年，舒民柯蕚詣萬歲山，以拄杖指松下，取寶，掘之，果得石，上有篆文，乃寶公所記宋祚興廢之數。太宗皇帝覽之，增敬大士降現禁中，帝聞緒語，乃遣使持青詞入山致齋。其文畧曰：俾乃龍舒之壤，特惟天柱之峯，始見道于苾蒭遂批文于琬琰述祖宗之受命年曆攸同昭皇緒以無疆傳源罕測秘于內府播厥榮書綿載祀以居多蘊禎祺而有待近以至真臨格寶訓昭聞睿基緒之由來積于故府疑失六字姑缺俟考獲乃貞珉覿篆刻之如新若符節之斯合詔自今不可以名斥以顯尊異宜賜號道林真覺菩薩

勑建謝雨道場文　宋孝宗

維淳熙九年歲次壬寅四月辛丑朔初三日癸卯皇帝遣入內內侍省東頭供奉額外睿思殿祗候權幹辦講筵閣兼承受李昌甫于建康府蔣山太平興國禪寺齋閣院僧

開建謝雨道場一永日者伏以江吳諸郡春澤久愆農畯訴嗟大田告瘁惟鍾山之勝刹有寶公像之香緣守臣致祈靈沛隨應覺慈　利無窮爰率梵儀嚴陳法會庶憑薰燎附達齋　謹言

蔣山大佛殿記

宋侍郎劉岑

寶公道場始于梁武其女號曰永定公主割捨私財創爲精舍當時詞臣陸倕王筠作爲文章以紀其事我本朝大中祥符賜榜太平興國禪寺加封寶公道林真覺慶曆改元翰林學士葉清臣來守是邦以禪易律元豐王僧曰法泉者經營辛苦成大叢林燹于建炎復于紹興云大佛殿

前又有大毘盧閣兩翼爲行道閣屬之殿其餘堂廡極其雄麗皆紹興以來所建淳熙十六年九月晦一夕而燼今累年營繕駸駸復盛矣寶公舊像父老相傳以沉香爲之國初取歸京師陳軒金陵集載狄咸游蔣山詩云旃檀歸象魏窣堵卧煙霞蓋謂此也本朝太平興國七年舒民柯蕚遇老僧往萬歲山指古松下掘之得石篆乃寶公記聖祚綿遠之文於是遣使致謝謚曰寶公妙覺治平初更謚道林真覺大師按建康實録開善寺有誌公履唐神龍鄭克俊取之以歸長安今洗鉢池尚在塔西二里法雲寺基方池是也寺西有日道光泉以僧道光穿斵得名日宋熙

泉以近宋熙寺基之側有八功德水在寺東悟真庵之後一云泉在寺北高峯絶頂寺東山巔有定心石下臨峭壁寺西百餘步有白蓮庵庵前有白蓮池乃策禪師退居之所寺後向東有婁禪師之塔

八功德水記　宋守大理寺丞梅摯

鍾山之陽有泉曰八功德梁天監中有胡僧曇隱飛錫寓止修行宥一厖眉叟相謂曰予山龍也知師渴飲功德池措之無難矣人與口滅一沼沸成渁僅盈尋廣可倍丈浪井不鑿醴泉無源水旱若初澄撓一色厥後西僧繼至云本域八池一已眢矣此味大較相類豈非竭彼盈此乎一

濟二冷三香四柔五甘六淨七不饐八蠲痾又其効也夫姜詩孝聞獲淵開而鯉躍二師誠至因劍刺以流飛義有激而相求物何遠而不應向匪兼濟則為怪力是泉也方外淨因寰中美利矧其靈者安可忽諸世故流離滋液長在惜其風雨不庇荊蕪四侵寂寞山阿孰為起廢史館學士蘭陵蕭公貫以己俸作亭甃板石八自南康購至楹柱四下東府所成鑿崖以畜曲圜土以端衛奢不至侈歸然獨存仍練僧結廬於前以掌之庶幾便民汲息客游非有徼於妄福也

八功德水記

宋趙師縉

八功德水鍾山之勝也亭久弗葺編修鍾公建臺之明年元正之三日率僚屬爲國祈年于寶公味靈源之甘冽慨棟宇之湫陋圖敞而新之鳩工度材斲岩拓基增卑爲高不擾於民不侈厥費輪奐翼然所以護神淵而綿美澤也自有此山卽有此水梁天監中始得名我宋天聖中史館蕭公始亭其上迨今百七十有七年復宏舊觀闡幽發奇後前有待則嗣而葺之以沾漑後人滋福于無疆是山龍沸出之祥鍾公重建之美意也公名將之字仲山長沙人自樞屬三持節爲此來今著籍上元是役也俾其屬浚都趙師縉董之因識其歲月嘉定改元上巳日記并書

鍾山太平興國寺碑記　元翰林學士虞集

昔金陵有神僧曰寶誌宋元嘉中居道林寺歷齊至梁數著靈異天監十三年示寂武帝感其遺言瘞之鍾山獨龍之阜帝女永定公主表以浮圖因建寺曰開善至宋太平興國年間太宗得誌公秘讖石中符其國運有神降其宫親與之語蓋誌公云太宗異之號之曰道林真覺更名寺曰太平興國賜田以食其人及王丞相安石守金陵合諸小刹以附益之寺始大建炎燬於兵紹興更作淳熙又燬隨更作之每更作輒加宏廣日葺歲增至於我國家而規制之盛極矣至治辛酉匡廬僧前靈隱玉山禪師弟子守

忠應請來主之禪學之士來者日蒲其室今上以泰定乙丑之歲正月來至於是邦而寺適災天意若曰其撤舊而作新之乎上感焉出金幣以爲民先於是行御史臺與郡縣之吏皆秖若上意始忠之治寺也舊有蒲盧之澤前見奪於豪家寺隷訟之累年不决忠至讓而弗辯奪者愧而歸之人固以是倍道之矣皇上一風動之遠近雲集富者効其財貧者輸其力工則致其巧農則獻其食一歲垣廡成再歲屋室具其可以名書者曰方丈曰北山閣曰經樓曰香積曰水陸堂曰白蓮堂曰伽藍祠曰大僧堂曰道林堂曰新倉院曰耆宿之舍而大宏興鐘三門皆以上賜次

第而成歲在丁卯鑄大鐘爲銅數萬斤方在冶上賜寶珠投液中鐘成珠宛然在其上若故識之而光彩陰發不以灼爍萬目共覩讙歎如一時上方別建宏祠於寺北令賜名曰大崇禧萬壽寺者也是年秋歸膺大寶是爲天曆元年出詔書布德天下即命廷臣製寶公號曰道林真覺慧感慈應普濟聖師封名香以禮祀之出黄金白金重幣賜忠俾成寺之役蠲寺田之賦號守忠爲弘海普印曇芳禪師住持大崇禧萬壽寺而兼領慈寺未幾加授廣慈圓悟大禪師領兩寺如故至順元年秋御史守丞趙世安傳勅召忠入朝九月九日上御奎章閣吏部尚書王士弘以守

忠入見奏對稱旨命太禧宗禋院日給膳饌賜金襴伽黎衣與青鼠之裘十二月二日賜讌於聖恩寺廼召學士臣集至榻前命製文以記之俾忠歸刻諸石忠以其事示臣集如此臣集謹具載而言曰上於金陵新作之寺二一曰龍翔集慶因潛龍之舊邸也一曰崇禧萬壽廣親構之新祠也獨太平興國雖曰宋齊梁唐宋之遺然空燬而復興實在今上龍飛之日有運之玄契蓋有徵焉茲三寺者鼎立于一郡以同賛乎聖天子億萬斯年之壽豈不盛哉臣集嘗竊聞陛下之意每不欲專福于躬而欲博濟均惠於天下敢述萬一而銘之銘曰維帝受命厥有禎符天人合機不

占以孚於赫聖皇聖武之系賛于克艱神有司契皇有萬
方山川幅員釐厥下土徒御告勤顧瞻道林在江之汜翠
蓋孔於來狩來止道林有宫百靈攸宗中有神師民所敬
恭土良泉甘風雨時若發祥效珎以待聖作聖作孔時動
天而墮龍躍以飛神師啟之神師不言而示以兆有命方
新去故以燎作而新之自我聖皇乃夜乃除乃基乃堂日
月重明天光旁燭皇心載欣萬神降福凡我臣民息養以
生飽歌煖嬉稚壯耋寧褁兵以革牛馬在野至於永久樂
其休暇蝡動孳殖亦遂以成幽塞若宛各卣而亨聖皇之
心斯神之力銘以著之昭示無極　至順二年九月日

蔣山鐘銘　　元中書右丞趙世延

元泰定四年丁夘仲冬初吉蔣山住持守忠鑄光祿大夫中書右丞趙世延爲之銘曰眞土脈中火水運工鼓之巽風冶金在鎔假合成功象其穹窿大明未東孰啟羣蒙鯨音渢渢警憒開聾人天其通五福攸同斯鍾山之鐘振宗風于無窮

奉　勅撰靈谷寺碑　　明杭州府學教授徐一夔

今　上皇帝應天啟運建一大統之業定都于鍾山陽辨方正位適與梁神僧志公之塔寺密邇洪武九年春詔東僧仲羲被召來爲住持前瞻官闕僅一里許私自忖曰王

氣攸聚紫雲黃霧昕夕擁護非惟吾徒食息靡寧亦恐聖
師神靈有所未妥且佛法以方便爲先如得近地改建誠
至幸也因請于　上從之義乃擇地于朱湖洞南則鍾山
之左脇也材木未具會　上方遷　太廟于闕左弗敢以
舊廟遺材他用遂以施之又遣親軍五萬餘人徙塔附于
寺功將就緒有爲宅地形之學者言其地湫隘非京刹所
宜義復以聞有旨舍其舊而新是圖拓大其規制令可容
千僧命太師韓國公李善長擇地于獨龍岡之東麓西距
朱湖洞五里而近其地中寛外敞回巒複阜左右相向而
方山巋然在其南天造地設儼然祇樹之境義以圖進

上答曰以此奉志公爲宜遂命中軍都督府僉事李新某衛指揮僉事滕聚某衛指揮僉事袁祿神壇署令崔安董其役建立之日以十四年九月之吉中作大殿殿之前東爲大悲殿西爲經藏殿食堂在東庫院附焉禪堂在西方丈近焉而大殿之後則爲演法之堂志公之塔則樹于法堂之陰其崇五級復作殿附塔以備禮誦左右爲屋以棲僧之奉香火者翼以兩廡其壁則繪佛出世住世涅槃及三大士十六應眞華梵神師示現之迹屏以重門繚周垣而養老宿與待雲水之暫到者亦各有其所至于井竈湢庾之類凡禪林所宜有者無一不備而其爲制以佛之當

獨尊也故於正殿則奉去見未來之像其他侍衛天神不與焉以禪與食不可混於一也故食堂附於庫院以師之不可遠其徒也故方丈近於禪堂以聯坐觀心或涵於笑語而弗專故異其龕以單寮息力或流於宴安而弗檢故同臺室而締構之法則以梁架桁不施疊拱以枅承椽不出重簷凡交椽接霤盤結攢輳如蜂房蟻穴之狀者悉不用規模氣象軒豁雄麗望之暈飛積之山立都人士庶莫不瞻仰贊歎以爲希有此皆　皇上萬機之暇睿思所及羲與董工臣僚奔走成筭以授羣工加程督之耳凡木石瓴甓丹堊髹漆之需皆　上所賜其工之鉅不可以數計

且不勞一民而以戾于法者充工既畢悉宥之夫役之于
慈悲之地而導之以有生之途此又　皇上懲惡勸善之
神機也明年六月十有三日告成　上既因其地之勝賜
額曰靈谷禪寺又賜田若干畝以飯其衆又明年正月十
日　上在齋宮進僧錄司臣顧問諭及靈谷碑文未建爾
等宜舉能文者爲之於是右講經守仁以杭州府學教授
臣徐一夔學識膚淺忝職外郡教事　上命所臨不勝恐
懼謹具載其事拜手稽首言曰竊嘗聞之大雄氏之教以
深慈宏願受羣生悉歸正覺非細務也故非國王大臣莫
能恢弘之自入中國以來有天下國家者咸以其道爲能

客贊化基陰翊王度而崇尚焉然昧者事之不以其道至其後也不能無弊　皇上龍興承中華之正統天地神人主臨制萬方奮大有爲之略舉百王之墜典而一新之貽聖子神孫萬世之法至於佛氏之教亦以近世僧不存古制聖慮及焉比因僧仲羲之請改建志公之塔寺遂本佛意而作新之規畫措置度越古今使凡學佛者起居食息各得其所而致力於其道至於慈風所被法雨所霑有生之類咸願去惡而爲善庶有以上答　聖天子崇獎之意且其徒生於二千載之下而獲覩像教之盛如二千載之前不其幸哉謹系之銘銘曰　皇天受命曰惟其時天人

克協式應昌期仗鉞秉旄豪傑景附曆數在躬作我民主
皇顧四方曰此幅員德懷威服在於一人神祇扈導底於
建業遂開帝基受之天策維此建業地麗以洪虎踞於西
龍蟠於東天作神皐帝王之宅眷言定鼎卜如伊洛大都
奠正萬國來臣春朝秋覲冠佩詵詵奕奕彤宫巍巍絳闕
五色成文照映天日地不愛寶禎符相仍昔有神師亦此
發靈神師爲誰道林眞覺岌彼塔寺在於喬嶽塔寺岌矣
宫闕在前其徒弟寧奏疏請遷協於　皇心詔從其便爰勅
臣僚具於攺建既築既構美奐美輪有赫其居震耀天人
伊大覺尊具足萬德巍然中居玉毫金色千祀濟濟以食

以禪弗涸於一惟適之安彼窣堵波如地湧出道林所棲天龍環翊惟茲鉅刹殊勝莊嚴如兜率宮下現人間是曰京寺四方之式弗加表見曷示於逖作而新之有革有因出自睿畫以振法乘法乘之行如佛在世凡百有生慈恩悉被惟皇與佛天中之天潛符默契億萬斯年　洪武十六年月日

蔣山寺廣薦佛會記

明翰林學士宋濂

皇帝御寶曆之四年海宇無虞洽於太康文武恬嬉雨風時順於是恭默思道端居穆清罔有參貳與天爲徒重念元季兵與天合雄爭有生之類不得正命而終動億萬計

靈氛紏蟠充塞下上吊奠靡至煢然無依天陰雨濕之夜其聲或啾啾有聞　宸衷盡傷若疚在躬且謂洗滌陰鬱升陟陽明惟大雄氏之教爲然乃冬十有二月　詔徵江南有道浮圖來復等十人詣於京師　命欽天監臣著以穀旦就蔣山太平興國禪寺丕建廣薦法會　上宿齋室却葷肉弗御者一月復勑中書移文於城隍之神具宣上意俾神達諸幽冥期以畢集五年春正月辛酉昧爽上服皮弁服臨奉天前殿羣臣服朝衣左右侍尚寶卿啓御撰章疏識以　皇帝之寶　上再拜燎香於爐復再拜躬賜疏已授禮部尚書陶凱凱捧從黃道出午門置龍輿

中備法仗鼓吹導至蔣山主僧行容率僧伽千人持香花出迎萬金奉疏入　大雄殿用梵法從事白而焚之退閱三藏諸文自辛酉癸亥止當癸亥時加申諸浮圖行祠事已　上服皮弁服搢玉珪上殿面大雄氏北向立羣臣各衣法服以從和聲郎舉悅佛之樂首奏善世曲　上再拜迎羣臣亦再拜樂再奏昭信曲　上跪進熏薌奠幣復再拜樂三奏延慈曲相以悅佛之舞舞二十人其手各有所執或香或燈或珠玉明水或青蓮花氷桃暨名葹衣食之物勢皆低昂應以節　上行初獻禮跪進清淨饌史冊祝復再拜亞終二獻同其所異者不用冊光祿卿進饌樂四

奏曰法喜曲五奏禪悅曲舞同三獻已　上還大次羣臣退諸浮圖旋繞大雄氏寶座演梵咒三周以寓攀駐之意初斸山左地成坎六十漫以堊至是令軍卒五百負湯實之湯蒸氣成雲諸浮圖速幽爽入浴焚象衣使其更以彩幢法樂引至三解脫門門內五十步築方壇高四尺　上升壇南向坐使者北向跪受詔而出集幽爽而戒飭之詔已引入殿致參佛之禮聽法於徑山禪師宗泐受毘尼戒於天竺法師慧日復引出供斛所解凡四十有九命闍黎師咒食之時夜以半禮將畢　上復上殿羣臣從如初樂六奏遍應曲執事者徹豆　上再拜同樂奏善成曲　上

至望燎位燎已　上還大殿次解嚴羣臣趨出瀕聞前真二日凄風成寒飛雪灑空山川慘淡不辨草木鑾輿一至雲開日明祥光冲融布滿寰宇　天顔懌如歷陛而升嚴恭對越不違咫尺俯伏拜跪穆然無聲儼如象馭陟降在庭諸威神衆拱衛圍繞下逮冥靈來歆來享焄蒿悽愴聳人毛髮此皆精誠動乎天地感乎鬼神初不可以聲音笑貌爲也肆惟　皇上自臨御以來即詔禮官稽古定制京師有泰厲之祭王國有國厲之祭若郡厲邑厲鄉厲類皆有祭其與哀于無祀之鬼可謂備矣然　聖慮淵深猶恐未盡幽明之故特徵内典附以先王之禮確然行之而弗

疑豈非人之至者乎昔者周文王作靈臺掘地得死人之骨王曰更葬之天下謂文王爲賢澤及朽骨而況於人夫瘞骨且爾矧欲挽其靈明於非言辭之可贊也猗歟盛哉祠部郎中西夏李顏主事浦陽張孟兼南樵蔡秉彝東武臧哲職專禱祀親覩勝因謂不可無記載以藏名山以揚聖德於罔極同請濂爲之文濂以老病固辭弗獲既爲具列行事如右復繫之以詩曰皇鑒九有憲天惟仁明幽雖殊錫福則均死視如生屈將死伸一歸至和同符大均元綱解紐亂是用作黑祲盪摩白日爲薄孰靈匪人流血沱若積屍横從委溝溢壑霜月淒苦凉飈酸嘶菸然

顧精爽何依寒郊無人似聞夜啼鑄鐵爲心寧免漸洟惟我　聖皇夙受佛記手執金輪繼天出治軫念幽潛宵不遑寐爰起靈場豁彼蒙翳　皇輿再臨稽首　大雄遥瞻猊座如覩睟容香凝霧黑燈類星紅梵唄震雷鯨音號鐘鬼宿渡河夜漏將半飈輪羽幢其集如霞神池潔清鮮衣華燦滌塵垢身還清淨觀邇陟秘殿乃覲　慈皇聞法去蓋受戒思防昔也昏酣棘途宵行今也昭朗白晝康莊法筵設食厥名爲斛化至河沙初因一粟無量香味用實其腹神變無方動皆充足鴻恩既廣氛祲全消乾坤清夷日月光昭器車瑞協玉燭時調大庭擊壤康衢列謠惟

佛道弘誓拔羣滯惟　皇體佛仁德斯被無潛弗灼有生咸遂太史載文永垂來裔

重修寶公塔記

明右覺義可浩

塔者梵語窣堵波此云方墳以之藏舍利標記古師靈跡示法不滅也昔武帝以二十萬金易鍾山獨龍阜造塔藏師全身舍利創精舍額曰開善至宋紹興辛巳金人犯淮甸師顯相力贊卒使虜酋就殄被旨加封慈應塔曰感應歷朝封號祭詞詔誥銘記感應功蹟具如原錄至我　朝洪武十四年歲次辛酉九月　太祖高皇帝詔遷于湖之東麓獨龍岡　勅建大靈谷禪寺為天下叢林之首設僧

錄俾僧時祀焉正統丙辰主塔僧法諱大滋仍舊貫修之弘治庚戌住持廣公安又經理之嘉靖乙酉歲可浩濫膺灑掃仰觀聖師寶塔故朽諒惟聖師靈化彌綸天地洪纖靡間豈拘縮乎一區也哉但民具爾瞻自生福慶丙戌歲拉僧宗受恊衆一加補葺焉屆今復將腐圮遂謀諸耆宿洎江右喻姓法名演高者參歷之士糾財召衆恊相新之凡尊富貧賤咸體信服從經營未遠煥然成之亦聖師冥助之速也仰惟　聖天子御極恩被林泉每托有司激勵僧徒者蓋不忘靈山之囑也吾人果能修道德明性命尊正化俾止惡措刑化淳俗美可謂陰翊　皇猷者也老子

云我無爲而民富一旦奮志於其間人皆可以爲聖師何獨事浮屠之突屼者哉師生于宋文帝元嘉元年滅于梁天監十三年十二月初六日也　嘉靖十八年己亥臘月八日記

遊鍾山寺記略 内舊蹟多在陵内 宋陸游

八日晨至鍾山道林眞覺大師塔塔在太平興國寺上寶公所葬也塔中銅鑄寶公像有王文公銘在其旁僧言古像取入東都啓聖院塔西南小軒曰木末其下皆大松髯甲夭矯如蛟龍往往數百年物木末取王文公詩有木末北山雲冉冉之句故取名之塔後又有定林菴舊聞先君言

李伯時畫文公像於菴之昭文齋壁着帽束帶神彩如生文公没齋常扃閉遇重客至寺僧開户客忽見像皆驚聳覺生氣逼人寫照之妙如此今菴經火矣歸途過半山少留半山者王文公舊宅所謂報寧禪院也自城中上鍾山此爲中途故曰半山寺西有土山今謂培塿亦取文公詩所謂講西顧丁壯擔土爲培塿名之也

游鍾山記略　在陵内舊蹟多内　元胡炳文

江以南形勝無如昇鍾山又昇最勝處夾路松陰亘八九里清風時來寒濤吼空斯須寂然如故路左入半山先是謝太傅園池荆公宅之捐爲寺至今祠公與傳法沙門等

出行三四里又入一寺弘麗視半山百倍龕鏤壁繪光彩奪目詭狀萬千兩廡級石而升四五十丈始至寶公塔邊有軒名木末履舄之下天籟徐鳴浮嵐暝翠可俯而挹下有羲之墨池投以小石遠聞聲出叢葦閒徑歷荒蕪遊客罕至獨拜塔者累累不絕長老云寶公巢生而人朱氏取而子之後成佛凡禱水旱疾疫如響由塔後循山而左過安石讀書所山石崛壘忽敞平原修篁老檜萬綠相扶風鳴交加猶作當時吾伊聲又行數里休於觀音亭其傍八功德泉有聲鏘然汩汩至亭下則囦然以涵或謂病者飲此立瘳衆皆飲予以無疾不飲遂回塔後攀松升磴六七

望至山椒鉅石人立予登石以坐鳳臺鷺洲渺不知在何許但覺繚白縈青隱見煙霧間城中數萬家樓閣如畫其間曠無人處六朝故宮也北視揚子江頭一舟如葉行移時不咫浪楫風帆想數十里遙矣盤龍踞虎互以長江其險也如此黃旗紫蓋王氣猶有時而終令人凄然久之下山至七佛菴白雲凄潤罍壒不來一僧噓石罏灰點鬢眉如雪一僧蓬跣崖邊拾松子以歸語客質木絕不與前寺僧類聞其下有猛公菴子文廟山水稍奇麗率爲事神若佛者家焉欲訪猿鶴山堂莫得其處遂朗吟小山招隱循故道御天風而下

遊鍾山記略內舊蹟多在陵內　明翰林學士宋濂

鍾山一名金陵山漢末秣陵尉蔣子文逐盜死山下大帝封蔣矦大帝祖諱鍾又更名蔣山實作揚都之鎮諸葛亮所謂鍾山龍蟠是也歲辛丑二月癸卯予始與劉伯温夏允中遊日在辰出東門過半山報寧寺寺舒王故宅謝公墩隱起其後西對培塿小丘培塿葢舒王病濕鑿渠通城河處南則陸靜修茱萸園齊文惠太子博望苑白煙涼草離離蔌蔌使人躊躕不忍去沿道多蒼松或如翠葢斜偃或蟠身矯首如玉虺摶人或搋如山猿伸臂掬澗泉飲相傳其地少林木晉宋詔刺史郡守罷官者栽之遺種至今

抵圜悟關關宋勤法師築大平興國寺在焉梁以前山有佛廬七十今皆廢唯寺爲盛近燬於兵外三門僅存適松花正開黄粉毵毵觸人詩興予獨出行亟道間會章君三益至遂執手上翠微亭登玩珠峯峯獨龍阜也梁開善道場寶誌大士葬其下永定公主造浮圖五成覆之後人作殿四阿鑄銅貌大士實浮圖浮圖或現五色寶光舊藏大士履神龍初鄭克俊取入長安殿東木末軒舒王所名俯瞰山足如井底出度第一山亭亭顏米芾書亭左有名僧婁慧約塔塔上石其制若圓楹中斵爲方下刻二鬼擎之方上書曰梁古草堂法師之墓有融匾法定爲梁人書復

金陵梵刹志　八　靈谷寺　三五一　三十

折而西入碑亭碑凡數　中有張僧繇畫大士像李白贊顏真卿書世號三絶又東折渡小澗澗前下定林院基舒王嘗讀書於此院廢更刱雪竹亭與李公麟寫舒王像洗硯池亦皆廢又北折至八功德水天監中胡僧曇隱來棲山龍爲致此泉今甃作方池池上有圓通閣閣後即屏風嶺碧石青林幽邃如畫前乃明慶寺故址陳姚察受菩薩戒之所又東行至道卿巖道卿葉清臣字也嘗來遊故名有僧宴坐巖下問之張目視弗應時雉方桴粥聞人聲戛戛起巖草中從北至靜壇多臧矜先生遺跡復西折過桃花塢詢道光泉舒王所植松巳遊唯泉紺淨沉沉如故日

將夕章君上馬去予還廣慈明日甲辰予同二君游崇禧院文皇元帝潛邸時建從西廡下入永春園園雖小衆卉略具採栢爲麋鹿形栢毛方怒長翠濯濯可玩二君行倦解衣覆鹿上掛冠鼠梓間據石坐予謝二君出遊夏君愕曰山有虎近有僧采蕣虎逐入舍僧門焉虎爪其顴顴有瘢可驗子勿畏往矣予意夏君紿我挾兩騶奴登惟秀亭亭宜望遠惟秀永春皆文皇元帝題牓塗以金又折而東路益險予更芒屩倚騶奴肩踸踔行息促甚張吻作鋸木聲倦極思休不問險濕蹀蹀遽頓地視燥平處不數尺兩足不隨久之又起行有二臺闊數十丈上可坐百人即宋北郊

壇祀四十四處問蔣陵及步夫人塚無知者或云在孫陵岡至此屢欲返度其出巳遠又力行登慢坡草叢布如氈不生雜樹可憩思欲藉裀褥臥不去坡古定林院基望山椒無五十弓不翅千里遠竭力躍數十步輒止氣定又復躍如是者六七竟至焉大江如玉帶横圍三山磯白鷺洲皆可辨天闕芙蓉諸峯出沒雲際雞籠上下接落星澗澗水滮滮流玄武湖巳堙久三神山皆隨風雨幻去西望久之擊石爲浩歌歌巳繼以感慨又久之傍崖尋一人泉泉出小竅中可飲一人繼以千百弗竭循泉西過黑龍潭潭大如盎有龍當可屠側有龍鬼廟頹陋由潭上行叢竹翳

路左右手開竹身中行隨過隨合忽腥風逆鼻羣鳥哇哇亂啼憶夏君有虎語心動急趨過似有逐後者又棘鐵鉤衣足數躓咽脣焦甚幸至七佛菴菴蕭統講經之地有泉白乳色卽踞泉鼾嚥衫袂落水中不暇救三嚥神明漸復菴後有太子巖一號昭明書臺方將入巖游庵中僧出肅面有新瘢詢之卽向采莽者心益動遂舍巖問別徑以歸所謂白蓮池定心石宋熙泉應潮井彈琴石落叉池朱湖洞天皆不復搜攬還抵永春園遂回廣慈二君出迎遂同飲飲半酣劉君澄坐至二更或撼之作舞笑鉤之出異響畏脇之皆不動予與夏君方困睫交不可擘乃就寢又明

日乙巳上人出猶未歸欲游草堂寺雨絲絲下意不住乃還按地里志江南名山唯衡廬茅蔣蔣山固無聳拔萬丈之勢其與三山並稱者葢爲望秩之所宗也晉謝尚宋雷次宗劉勔齊周顒朱應吴苞孔嗣之梁阮孝緒劉孝標唐韋渠牟並隱於此今求其遺跡鳥没雲散多不知其處唯見蕘兒牧豎跳嘯於凄風殘照間徒足增人悲思況乎人寡往來一日萬變達人大觀又何足深較予幸與二君得放懷山水窟一刻之樂千金不易也山靈或有知當使予游盡江南諸名山雖老死煙霞中有所不恨他尚何望哉他尚何望哉

遊靈谷記

明大學士呂柟

三月之暮五山潘子約諸僚同遊靈谷予以足疾不能遠馬賃輿先往蓋靈谷周幾十餘里東界木公山而松亘四五里縱横絡繹雜列間植微徑隴甃路則不得其門而入矣往年同南橋李子日午始往不久卽返未盡其奇於心恒不忘故五山約不俟聯鑣而獨先也至第一禪林門下輿徒步里餘就蔭佇立四面睇望虬枝蛟柯如麻如葦然體榦瘦細間有三二合抱者則又爲羣木壓挽匝擠不能直挺予嘆玩焉其下瑤草仙卉碧紫爛熳或並藤蘿纏繆縈薆問諸吏皂但曰野花則又嘆曰彼抱美含芳于幽獨

而不名者其殆此乎北至方丈門見洪武十八年至二十九年　高祖七敕備言栽種松竹果子之由禁止芻牧再進至青林堂見簷前懸榜　高祖親制山居詩十二篇賜覺義清濬者益悉靈谷幽勝乃知此寺所造甚遠非偶然也未幾五山及雙山秦子在軒胡子雍里顧子郭山況子皆至乃遂出遊大佛殿又後登禪堂崇峻弘敞爽人心目而寶公石像正當其下爲吳子所畫果非塵世形態旁鐫自著十二時歌又北觀寶公塑像在浮屠塔下旁有長榜壁立不可上乃已遂出東觀八功德水之九曲曲上一松奇古或云　高祖掛衣處隨至無梁殿殿皆甋甗作三券洞

不以木爲梁只此一殿費可萬金其規制又多自齊梁時來　國朝雖或補葺然必不加也上西廊觀吳道子所畫折蘆渡江及烏巢佛印三教畫壁乃還登青林堂有滿親住持者來叅持學士顧公詩以觀荅顧公九和依韻語作二偈爾觀畢滿茶許之時日已大西遂行而浩乃送至琵琶街自皷掌請聽琵琶聲口兼呼諸從者亦皷掌浩亦大笑然實未有聞也因問此殿前何以有此聲浩曰空谷作聲爾曰此殿以上凡四五層其上者何以無此聲浩不對在軒雙山皆曰山谷之聲大近亦無大遠亦無虛實之間遠近之中乃又夾以長廊俯以崇臺此感彼應氣使然爾

遂西至竹澗有閉關僧鑿板竇以通飲食竇上懸棲雲處三字予曰此室中亦有雲邪五山屢以偈語詰浩浩不能對以他語應遂出時滿親以邀茶至見壁上懸二尊宫詩浩與滿親猶指矜云云曰僧但不到家到家便見其家中所有無爾遂還予先至朝陽門候諸君而後別

（傳）誌法師墓誌銘　　梁陸倕

法師自說姓朱名保誌其生緣桑梓莫能知之齊故特進吳人張緒與皇寺僧釋法義並見法師於宋太始初出入鍾山往來都邑年可五六十歲未知其異也齊宋之交稍顯靈迹被髮徒跣負杖挾鏡或徵索酒肴或數日不食豫

言未兆懸識他心一時之中分身數處天監十三年卽化於華林園之佛堂先是忽移寺之金剛出置戶外語僧衆云菩薩當去耳後旬日無疾而殞沉舟之痛有切皇心殯葬資須事豐供厚望方墳而隕涕瞻白帳而拊心爰詔有司式刊景行辭曰欲化毗城金粟降靈猗歟大士權迹帝京緒胄莫詳邑居罕見譬彼涌出猶如空現哀茲景像愍此風雹將導舟梁假我方便形煩心寂外荒內辯觀往測來覩微知顯動足墟立發言風偃業窮難詔因謝弗援慧雲晝歇慈燈夜昏

寶誌公行實

師諱寶誌金陵人宋文帝元嘉十三年丙子示跡東陽市古木鷹巢中民人朱氏婦上巳日汲水聞兒啼歸報其家梯樹得之舉以爲子就指爲姓面方瑩徹如鏡手足皆鳥爪甫七歲去依鍾山大沙門法儉爲童子儉名之曰寶誌明帝泰始三年丁未落髮專修禪觀坐必踰旬久之忽無完居多往皖山劍水之下披髮而徒跣著錦袍飲啖同於凡俗常以古鏡剪刀尺扇拄杖負之而趍經聚落兒童諠逐之或徵索酒殽或累日不食而無飢色嘗從喫鱠者求鱠食與之者心笑之卽起吐水中皆成魚人始驚異時有題詩句初不可曉後皆有驗齊建元間異跡甚著宰相入高嵩

與武帝言之以禮自晥山迎至都舍於陳征虜之家輒自剺其面分披之出十二面首觀世音慈嚴玅麗俱都觀之欲爭尊事武帝忿其惑衆收付建康獄旦夕咸見遊行市里既而檢校猶在獄中其夜又語吏門外有兩輿金鉢盛飯汝可取之果文惠太子竟陵王並送供至建康令吕文顯啓帝迎至禁中俄有旨屏除後宫爲家人宴公倒常與出已而見行道於景陽山比丘七輩從其後帝怒遣使至閽吏曰公久在省中吏就視之身如塗墨然帝聞之大驚時僧正法獻欲以一衣遺師遣使於龍光罽賓二寺求之但云公昨在此行道旦眠未覺使還以告方知其身分三

處宿焉公嘗盛冬袒行沙門寶亮欲以衲遺之未及發言忽來引衲而去師在華林園忽重三著三布帽亦不知自何得之俄而武帝崩文惠太子豫章文獻王相繼薨齊亦於此季矣出傳燈錄蔡仲熊嘗問仕何所至公不自答直解杖頭左索繩擲與之莫之解仲熊果至尚書左丞永明中住東宮後堂平昌門中出入未年忽云門上血污衣褰裳走過及鬱林見害果以犢車載屍自此門舍故閹人徐龍駒宅而帝頭血流於門限焉建武中明帝害諸王高士江泌憂念南康王子琳以訪公問其禍福公覆香爐示之曰都盡無餘後皆如其語徐陵兒時其父携詣師師拊之曰天上

麒麟也陵果名譽顯於世又文惠太子迎釋僧惠至京師遇師拊其背曰赤龍子也惠終以辯才顯聞其徒齊屯騎桑偃將欲謀反往謁誌誌遙見而走大呼云圍臺城欲反逆斫頭破腹後又旬事發偃叛走朱方爲人所得果斫頭破腹陳顯達鎮江州大司馬殷齊之從行往辭公無他語但引紙畫鴉畢之曰緩急可用此顯達叛齊之遁去顯達大怒遣騎追之將及齊之窘甚見鴉喧暮林即匿其下鴉翔集自如騎玩失其踪但見鴉林必非人所寄遂去齊之方悟師意鄱陽忠烈王飯於私第顧左右覓荆杖有折以獻者則以安門上而去俄有旨以領荆州衛尉胡諧卧病

請師師註疏云明屈明日竟不往是日誥亡載屍還宅公明日屍出也師多去來與皇淨名兩寺齊帝常禁師出入及梁武帝即位下詔曰寶公迹均塵垢神遊冥寂水火不能焦濡蛇虎不能侵懼語其佛理則聲聞以上談其隱倫則遁仙高者豈得以俗士常情空相拘制何其鄙狹一至於此自今已後隨意出入勿得復禁自是多出入禁內天監五年秋季旱雩祭備至而雨未降帝請雲光法師於華光殿講勝鬘經師索水貯淨器安刀其上以祝須臾雲行雨施高下皆足出行狀帝始用刑慘酷師現六神通力令見高祖於地下受極苦相之狀繇是息刀鋸之害天監六年

帝假師神力見地獄苦問何以救之師曰夙世定業不可頓滅唯聞鐘聲其苦蹔息帝於是詔天下寺院擊鐘當舒徐其聲欲以停其苦也出釋氏編年錄　師嘗於臺城對武帝喫鱠昭明諸王子皆侍側帝曰朕不知其味二十餘年師何爾師乃吐出小魚依依鱗尾帝深異之如今秣陵尚有鱠殘魚是也出漫錄　帝嘗問師曰弟子煩惑未除何以治之師索十二識者以爲十二因緣治惑藥也又問十二之旨師曰在書字時節刻漏中識者以爲書之在十二時中又問弟子何以得淨心修習荅曰安樂禁識者以爲禁者止也至安樂時乃止爾出行狀　舒州潛山最奇絕而山麓尤勝師與

白鶴道人皆欲之天監六年二人俱白武帝以二人皆具靈通俾各以物識者其地得居之道人云某以鶴止處爲記師曰某以卓錫處爲記已而鶴先飛去至麓將止忽聞空中錫飛聲師之錫遂卓於山麓而鶴驚止他所道人不懌然以前言不可食遂各以識築室焉出萬花谷集杜詩云錫飛常近鶴一日雲光法師於華林殿講法華經至假使黑風吹其船舫忽問風之有無否雲光曰世說故有第一義則無也師往復三四番師笑曰若體是假有此亦不可解也其辭止隱没類皆如此雲光法師講經天雨之華帝謂其證聖夜於含光殿焚疏請師與雲光僧儉傅大士齋翌日獨雲光

不至其優劣可見也一日與帝臨江縱望有一木浮江泝流而上帝與師及士庶觀之師舉錫一招其木隨至岸乃栴檀也詔供奉官俞紹雕公像既克而肖神像如生但少鬂髮師拔髮揷像兩鬂髮即隨長宋志云舊像父老相傳以沉香爲之國初取歸京師陳軒金陵集載狄咸遊蔣山詩云栴檀歸像瘦寒堵卧煙霞蓋謂此帝大悅命置中庭爲子孫世世之福田有僧浮盃者謁帝帝與客方棊令殺之棊罷命僧見侍衛奏曰蒙肯殺之矣帝嗟悼不已因問師師曰陛下前身蚯蚓也因薙草誤殺之今償夙債耳出釋通鑑帝先問張僧繇傳師眞容輒不竟不能就繇稽首告師師以爪劃破面門現十二面觀音云毘婆尸佛早留心直至

如今不得妙出傳燈錄中後魏胡后嘗問國祚師曰把粟與鷄喚朱朱蓋爾朱也武帝一日詔師至闕師忽顰蹙低頭與嘆帝問之師曰佛敵生也帝罔措蓋是年侯景生于鮮卑懷朔鎮即東昏侯後身也帝嘗與師登鍾山定林寺師指前岡獨龍阜曰地爲陰宅則永其後帝曰誰當得之公曰先行者當得之行狀梁皇問師朕欲設齋布施廣度僧尼法門混雜師曰刻木爲羅漢敬之則福生銅鐵鑄觀音毀之則禍至泥龍不能行雨求雨須用泥龍但知供養泥龍必有眞龍降雨凡僧不能長福求福須用凡僧但知供養凡僧必有眞僧降福出知如居士語錄帝妃郗氏崩後數月忽現一

蟒上殿爲人語啓帝曰蟒即郗氏也妾以生存嫉妬六宮其性慘毒怒一發則火熾矢射損物害人死以是罪謫爲蟒耳無飲食實口無窟穴可庇身飢窘困迫力不自勝又鱗甲則有多蟲唼齧肌肉痛苦甚劇若加錐刀焉感帝平昔眷愛之厚矣故托醜形陳露於帝祈一功德以拯拔也蟒遂不見明日大集沙門宣其由問善之最以贖其苦寶公對曰非禮佛懺滌悃欵不可帝然其言撰懺文共成十卷爲其懺禮又一日聞宫内異香馥郁帝仰瞻見一天人容儀端麗謂帝曰蟒後身也蒙功德以得生忉利天呈身致謝言訖不見出梁皇懺序幷南史集中

會稽臨海寺有僧大德常

聞揚州都下有誌公語言顛狂放縱自在僧云必是狐狸之魅也願向都下覓獵犬以逐之於是輕船入海趣浦口欲西上忽大風所飄意謂東南六七日始到一島中望見金裝浮圖干雲秀出遂徑而往至一寺院宇精麗花卉芳菲有五六僧皆可年三十美容色並着真緋袈裟倚杖於門樹下言語僧云欲向都下爲風飄蕩不知上人此處是何州國今四望環海恐本鄉不可復見荅曰必欲向揚州卽時便到令附書到鍾山寺西行南頭第二房覓黃頭付之僧因閉目坐船風聲定開眼如言奄至西岸入浦數十里至都徑往鍾山寺訪問都無字黃頭者僧具說委曲報

云西行南頭第二房乃風病道人誌公雖言配在此寺常在都下聚樂處百日不一度來房空無人也問荅之間不覺誌公已在寺厨上乘醉索食人以齋過日晚未與間便奮身惡罵寺僧試遣沙彌繞厨側漫呌黃頭誌公忽曰阿誰喚我卽逐沙彌來到僧處謂曰汝許將獵狗捉我何爲空來僧知是非常人頂禮懺悔授書與之誌公看書云方丈道人喚我不久當亦自還誌公遂屈指云某月日去便不復共此僧語衆但記某月日期去也武帝夢神僧告曰六道四生受大苦惱何不爲作水陸大齋而救拔之帝問寶公公勸云尋經必有因緣乃取藏經躬自披覽刱造義

文三年乃成於夜捧文停燭白佛若此文理協聖凡願起此燈自明或儀式未詳燈暗如初言訖投地一禮初起燈燭盡明至是二月十五日於金山寺是也出葦江集云一日帝與誌公論及樂事請帝出死囚數人以驗其說既而命囚各持滿水周行庭下戒曰杯水不溢當貸汝死繼命作樂以動其心良久視之無一滴者帝乃嘆曰汝聞樂乎曰不聞師曰彼正畏死惟恐水溢安得聞樂陛下若亦如此常懷畏懼則逸樂之心自然不生出感應篇一日寶公與帝云欲往高座主之帝乞即往嘗同五百大士俱有雲光坐山巔說法天花墜墜焉天監十三年公移華林園金像置所居房

帝問師曰師將去我耶又問國祚有留難否公但指喉示之厥後侯景之亂尤追繹公言也帝復詢社稷存亡遠近之事公曰貧僧塔壞陛下社稷隨壞於十二月忽聞奏絲竹聲徹晝夜至初六日無疾脫化於興皇寺屍骸香軟形貌怡悅正應鍾山寺與僧先日之期也臨亡燃一燭以付後閣舍人吳慶以聞帝帝歎曰大師不復留矣燭者以後事囑我乎念公之言以金二十萬易其地敕造木塔五級用皇女永康公主遺下奩具成之仍以無價寶珠置其上塔前建開善精舍敕陸倕製銘於塚內王筠製碑於寺門處處得其遺像焉畢工駕御寺公忽現雲端萬衆歡呼聲

振山谷敕謚廣濟大師厥後帝思前言木塔其能久乎遂命徹之改創石塔貴圖不朽以應其讖拆塔纔畢侯景之兵果至李氏有國日謚曰玅覺周廣順中江南伏龜山圯埋白石函二尺廣八寸中有銘云維天監十四年秋八月寶公埋於此山當時名臣陸僑王鈞姚詧而下皆莫曉其義問之曰在五百年後方應詞曰若問江南事江南自有憑（讖石虎李煜事）乘鷄登寶位（以丁酉年李氏有國也）犬吠入金陵（宋開寶七年甲辰伐江南也八年國滅）子建司南斗安仁秉夜燈（當王師圍城其南曹彬其北潘美也）東隣家道闕隨虎遇明君（太平興國三年戊寅吳越錢弘俶舉國入朝家道闕無錢也）楊文公談苑紀寶公銅碑記云讖未來事云有一眞人名

知遠開口張弓在左邊子子孫孫萬萬年吳越錢鏐有國王孫弘俶歸宋封淮海國王俶弟儀信並觀察使俶四子並節度使及族屬俱授官有差世顯不絕公顯跡之著可數五六十許貌亦不老莫測其年有徐捷道者年九十二自言是公外舅弟小公四歲其年九十七矣公作四柱記寶公符十二時歌十四科頌大乘讚禪宗法語公鏡圖數千言傳於世俱備大藏傳燈錄中宋太宗太平興國七年舒州民柯萼遇老僧率詣萬歲山取寶以杖指松下令掘之得石上有篆文乃師所記運祚興廢之數朝廷寶之賜謚道林真覺宋敏求東京記太平興國七年師降見城市詔避諱稱寶公遺使致青詞就鍾山建道場賜太平興國禪寺爲顯

眞宗大中祥符五年詔於龍圖閣取太平興國年中舒州所獲寶公石以示輔臣上作詩紀其事又作贊目曰神告帝統石讖曰眞覺大師遣知制誥陳堯咨詣蔣山致告仍令天下無得斥公名又眞宗實錄大中祥符六年六月甲中詔加謚寶公爲道林眞覺大師高宗紹興辛巳歲金人犯淮甸師以神力幽贊卒使虜酋就殄江淮以安被旨加封道林眞覺慈應惠感大師塔曰感順元文宗天曆二年封普濟聖師菩薩

寶公贊　　唐李白

水中之月了不可取虛空其心寥廓無主錦幪烏爪獨行

絕侶刀齊尺梁扇迷陳語丹青聖容何住何所

寶公贊　唐僧皎然

大地之動我安其中高景無氛靈鶴在空出生死海隨物有終務形駭俗借繪開蒙嘗攜刀尺精意誰通

釋智藏傳畧　高僧傳

釋智藏本名淨藏吳郡吳人戒德堅明學業通奧梁聖僧寶誌遷神窀穸於鍾阜於墓前建塔寺名開善敕藏居之有野姥者工相人謂藏曰法師聰辯蓋世天下流名但恨年命不長可至三十一矣時年二十有九聞斯促報講解頓息竭精修道發大誓願不出寺門遂探經藏得金剛波

君受持讀誦畢命奉之至所戹暮年香湯沐浴淨室誦經以待死至俄而聞空中聲曰善男子汝往年三十一者是報盡期由波若經力得倍壽矣藏後出山試過前相者乃大驚趍曰何因尚在世也前見短壽之相今了一無沙門誠不可相矣藏問今得至幾荅云色相骨法年六十餘藏曰五十知命巳不爲夭况復過也梁大同中帝欲自御僧官維任法侶勑主書遍令許者署名於時盛哲無敢抗者皆匿然投筆後以疏聞藏藏以筆横轢之告曰佛法大海非俗人所知帝覽之不以介意然意彌盛事將施行於世雖藏後未同而勑巳先被晚於華光殿設會衆僧大集後

藏方至帝曰比見僧尼多未調習白衣僧正不解律科以俗法治之傷於過重弟子暇日欲自爲白衣僧正亦依律立法此雖是師之事然佛亦復付囑國王向來與諸僧共論咸言不異法師意旨如何藏曰陛下欲自臨僧事實光顯正法但僧尼多不如律所願垂慈矜恕此事爲後帝曰弟子此意豈欲苦衆僧耶正謂俗愚過重自可依律定之法師乃令矜恕此意何在答曰陛下誠欲降重從輕但末代衆僧難皆如律故敢乞矜恕帝曰請問諸僧犯罪佛法應治之不答曰竊以佛理深遠教有出沒意謂亦治亦不治帝曰惟見付囑國王治之何處有不治之說答曰調達

親是其事如來置之不治帝曰法師意謂調達何人答曰調達乃誠不可測夫示迹正欲顯教若不可不治聖人何容示此若一向治之則衆僧不立一向不治亦復不立帝動容追停前勑諸僧震懼相率啓請帝曰藏法師是大丈夫心謂是則道是言非則道非致詞宏大不以形命相累諸法師非大丈夫意實不同言則不異弟子向與藏法師碩諍而諸法師默然無見助者豈非意在不同耳事遂獲寢藏出告諸徒屬曰國王欲以佛法爲己任乃是大士用心然衣冠一家子弟十數未必稱意況復衆僧五方混雜未易辯明正須去其甚泰耳且如來戒律布在世間若能

遵用足相綱理僧正非但無益爲損弘多常欲勸令罷之豈容讚成此事或曰理極如此當萬乘之怒何能夷然箴笑曰此實可畏但吾年老縱復阿旨附會終不長生然死本所不惜故安之耳勑於彭城寺講成實又勑於慧輪殿講波若經天監末年春捨身大懺招集道俗并自講金剛波若以爲極悔唯留衣鉢餘者傾盡一無遺餘陳郡謝幾卿指挂衣竹戲曰猶留此物尚有意耶藏曰身猶未滅意何由盡而尚懷靖處託意山林還居開善因不履世時或勑會乃上啓辭曰夙昔顧省心或不調欲依佛一語於空閑自制而從緣流二十餘載在乎少壯故可推斥今既老

病身心俱滅若復退一毫便不堪自課故願言靜處少自榮衛非敢傲世求名非欲從閑自誕特是常人近情懼前途之巳迫耳帝手喻曰求空自閑依空入慧高蹈養神實是勝樂不違三乘亦以隨喜惟別之際能無恨然岐路贈言古人所重猶勸法師行無礙心大悲爲首方便利益隨時用舍不宜頓杜以隔礙心行菩薩道無有是處勅住反頻仍久之蔵持操不改皇太子尤相敬接將致北面之禮朱輪徐動鳴笳啓路就而謁之從遵戒範寺外山曲別立頭陀之舍六所並是茅茨容膝而巳皇太子聞而遊覽焉各賦詩而返其後章云非曰樂逸遊意欲識箕潁藏結心

世表常行懺悔每於六時翹仰靈相嘗宿靈曜寺夜漸用心見有金光照曜一室洞明人問其故荅曰此中奇妙未可得言是旦遘疾至於大漸帝及儲君中使相望臨終詞色詳正遺言唯在弘法以普通三年九月十五日卒於寺房春秋六十有五勅葬獨龍之山新安太守蕭機製文湘東王繹製銘太子中庶子陳郡殷鈞爲立墓誌初藏講大小品涅槃波若法華十地金光明成實百論阿毗曇心等各著義疏行世

與開善寺智藏法師書　梁元帝

菩薩蕭法車置郵大士劉智藏侍者自林宗遄反玄度言

歸以結元禮之心彌益眞長之歎故以臨風望美對月懷賢有勞寤寐無忘興寢方今玄冥在節歲聿云遒日似青緹雲浮紅蘂清臺炭重北宮井溢想禪說爲娛稍符九次成誦之功轉探三密山間芳杜自有松竹之娛巖穴鳴琴非無薜蘿之致修德之暇差足樂也昔韓梅兩福求羊二仲鄭林騰名於馮翊周黨傳芳於太原或有百鎰可捐千金非貴松子爲餐蒲根是服未有高蹈眞如歸宗法海梵王四鶴集林籞而相鳴帝釋千馬經丘園而踢步有一於此猶或稱奇兼而總之何其盛也故知南臨之水巳類呂梁之川北眺之山彌同武安之嶺豈復還思溆浦尚想彊

臺聡彼漢池載懷荒谷以此相求心可知矣僕久厭塵邪本懷人外加以服膺常住諷味了因彌用思齊每增求友常欲登却月之嶺蔭偃蓋之松挹琁玉之源解蓮花之紼藩維有限脫屣無由每坐向詡之牀恒思管寧之榻夢匡山而太息想桓亭而延佇白雲間之蒼江不極未因抵掌我勞如何想無金玉數在郵示弱水難航猶致書於青鳥流川弗遠佇芳音於赤玉鶴望還信以代萱蘇得志忘言此寧多述法車叩頭叩頭

佛慧泉禪師傳畧　舊志

法泉隨州時氏子住持日經管辛苦成大佛殿以成叢林

建毘盧閣兩掖爲行道閣其餘廊廡極雄麗與蘇東坡交因舟行至金陵阻風江滸師迎之至寺坡云如何是智海之燈師以偈答之曰指出明明是什麼舉頭鷂子新羅過從來這碗最稀奇會問燈人能幾箇坡欣然以詩答之今日江頭天色惡砲車雲起風欲作獨望鍾山喚寶公林間白塔如孤鶴寶公骨冷喚不聞却有老泉來喚人電眸虎齒霹靂舌爲予吹散千峰雲南來萬里亦何事一酌曹溪知水味他年若畫蔣山圖仍作泉公喚居士師晚奉詔住大相國智海禪寺問衆曰赴智海留蔣山去就孰是衆皆無對師索筆書偈心是心非徒擬議得皮得髓謾商量臨

行珍重諸禪侶門外千山正夕陽元豐年十二月二十日入寂

佛眼遠禪師傳畧　舊志

清遠嘗讀法華至是法非思量分別之所能解問講師師莫能荅師咲曰義學名相非所以了生死大事遂卷衣南遊造舒州演公法席因丐於廬山偶雨足跌仆地煩懣間聞兩人相交惡罵諫者曰你猶自煩惱在師於言下有省及歸凡有所問演曰我不如你你自會得好或曰我不會我不如你師愈疑遂咨决元禮首座以手引師耳繞圍爐數匝且行且語曰你自會得好師曰有異開發乃爾相戲

座曰你他復悟去方知今日曲折後出住崇寧萬壽復遷和之褒禪樞密鄧公洵奏賜師號紫衣宣和欲以病辭歸蔣山東堂二年書雲前一日飯食訖趺坐謂徒曰諸方老宿臨終留偈辭世世可辭乎且將安往乃合掌怡然趨寂

雲峯高禪師傳畧　　舊志

妙高長溪人毋夢池上嬰兒合掌坐蓮花心手捧得之覺而生師因名夢池躭釋典因請學出世法見無準於徑山準器之擬以侍職曰懷安敗名吾不徧叅諸方不止遂之育王見偃溪聞即請入侍掌藏溪一日舉如水　過牕櫺頭角四蹄過了因甚麽尾巴過不得師有省荅曰鯨吞海

水盡露出珊瑚枝溪可之會蔣山虛席直指僉議無以易師朝旨從之歷十有三年衆逾五百德祐己亥寺被兵輩有軍迫師求金者師曰此但有寺有僧無金與汝伐以刃擬師師延頸曰欲殺即殺吾頭非汝磨刀石辭氣雍容了無怖畏軍士擲刃伯顏丞相見師加敬舍牛頭齋糧五百石寺賴以濟顏公又戒諸將云此老非常人比宜異因待之以故寺得無恙

圓辨順禪師誌畧　　明翰林學士宋濂

濂自幼至壯飽閱三藏諸文粗識世雄氏所以見性明心之旨及游仕中外頗以文辭為佛事由是南北大浮屠其

順世而去者多以塔上之銘爲屬衰遲之餘風習皆空凡他有所請輒峻拒而不爲獨於鋪叙悟縁評隲梵行每若不敢後者蓋欲表般若之勝因啓衆生之正信也有如佛性圓辨禪師者濂安得而不銘諸師諱智順字逆川溫之瑞安陳氏子事千佛寺毒海清法師方開演長　御講請師爲綱維之職軏範爲之肅然毒海入寂師感世法無常嘆曰義學雖益多聞難禦生死即禦生死舍自性將奚明哉遂更衣入禪復走閩之天寶山三鐵關樞公欲依公而住公叱曰丈夫不於世大叢林與人相頡頏局此蠡㲉中邪拂袖而入師下且過寮潸然而泣或憫之慰曰善知識

門庭高峻拒之卽進之也公聞其事嘆曰吾知其爲法器姑相試爾乃延入僧堂中師壁立萬仞無所回撓雖晝夜明暗亦不能辨踰月因如廁便旋覩中圍瓠瓜觸發玅機四體輕清如新浴出室一一毛孔皆出光明目前大地倏爾平沈喜幸之極亟上方丈求證適公入府城師不往見水濱林下放曠自如已而歷抵諸師皆不合又聞千巖長禪師鳴道烏傷伏龍山師往叩之其所酬應者皆涉理路飄然東歸燃指作發願文細書於紳必欲見道乃已復自念非公不足依洊丞閩中見焉公偶出游遙見師喜曰我子今來也越翼日師舉所悟求證公曰此第入門耳最上

一乘則邈邈在萬里之外也乃囑之曰汝可悉棄前解專於參提上致力則自入閫奧矣師從公言踰五閱月一日將晚參擬離禪榻忽豁然有省如虛空玲瓏不可湊泊厲聲告公曰南泉敗闕今已見矣公曰不是心不是物不是物是何物師曰地上磚鋪屋上瓦覆公曰即今南泉在何處師曰鷂子過新羅公曰錯師亦曰錯公曰錯錯師禮一拜而退公曰未然也公披大衣鳴鐘集四衆再行勘驗師笑曰未吐辭之前已不相涉和尚眼目何在又爲此一場戲劇邪公曰要使衆皆知之遂將宗門諸語一一訊師師一一具荅公然之復囑曰善自護持勿輕泄也久之令

掌藏室尋請分座說法公既捐館師嗣住院事非惟舉eighth
宗乘寺制有未備悉補足焉覔驛道達於山門踰六七里
擇地構亭以增勝槩衆方賴之忽爾棄去過杉關抵百丈
上迦葉峯渡江入淮禮諸祖之塔經建業回浙中超然如
野鶴孤雲無所留礙尋返永嘉　朝廷賜師號及金襴法
衣師曾不以悅悉散其衣盂所畜退居一室掘地以爲爐
析竹以爲箸意澹如也温城淨光塔雄鎮一方年久將壞
万參政初甞戍其城欲賦民錢葺之命師莅其事師曰民
力凋匱久火燄炎炎而復加薪吾安忍爲之必欲見用官
中勿擾吾事若無所聞知可也方諾之師乃定計城中之

戶餘二萬戶捐米月一升月獲米二百石陶甓掄材若神運鬼輸紛然四集鎮心之木以尺計者其長一百五十最難致之師談咲趣辦七成旣粗完其下仍築塔殿宏敞壯麗九斗之勢益雄一旦颶風作其上一成掀之以入海濤衆咸傷之師曰塔終不可以就乎持心益固遣其徒如閩鑄露盤輪相及餤珠之類日就月將闌楯硐戶一一就緒金鮮碧明猶天降而地湧也縻錢過十萬而上役弗與焉

皇上尊尚佛乘召江南高行僧十人於鍾山建無遮法會師與其列升座演說聽者數千大駕幸臨慰問備至竣事錢唐清遠謂公方主淨慈舉師以爲成會　中朝徵有道

僧以備顧問衆咸推師師至南京僅四閱月沐浴書偈而逝實洪武六年八月二□日也鬗維於聚寶山獲設利無算師有五會語若干卷善財五十三參偈一卷皆傳於世大雄氏之道不即世間不離世間烏可岐而二之我心空邪則凡世間諸相高下洪纖動靜浮沉無非自妙性光中發現苟爲不然雖法王所說經教與夫諸祖印心密旨皆爲障礙矣嗚呼道喪人亾埃風澒瀰焉得逢理事不二有無雙泯者相與論斯事哉師自得道之後坐紫檀座既已設法度人出其餘力往往莊嚴塔廟使人爲遠罪遷善之歸斯蓋近之矣或者不專委爲人天有漏之因夫豈可哉

夫豈可哉

玅辨同大師誌畧　　明翰林學士宋濂

公諱大同字一雲其號別峰越之上虞王氏子會春谷講經景德公徃依之公天分旣高又加精進之功凡淸涼一家疏章悉攝其會通而領其樞要義趣消融智光發現識者心服之春谷召公謂曰子學　且博矣恐滯於心胷以成癃執曷從事思惟修以剗滌之乎公卽錢塘見佛智熈禪師於慧日峯下舊所記憶者一切棄絶唯存孤明耿耿自照如是者閱六暑寒　皇明御極四海更化詔無遮大會於鍾山名浮屠咸應詔集　闕下入見於武樓獨免公

拜跽之禮命善世院護視之次日復　召還食禁中及還復有白金之賜洪武二年冬十二月得疾口占辭衆語端坐而蛻實三年春三月十日也高麗藩王遣參軍洪瀹施大藏經於二浙瀹自負通內外典不復下人入越見公茫然如有失力言於王邀公游燕都將振拔之過吳辭以疾而還持律甚嚴不敢違越其外集曰天柱稿錄公自著詩文曰寶林編類聚古今人爲寺所作

普濟日大師誌畧　明翰林學士宋濂

皇帝受　天明命奄有方夏鴻仁惠澤覃及幽明於是有學僧伽奉　詔入京　上御奉天殿丞相御史大夫曁百

僚咸在而僧伽魚貫而見時東溟大師年最高白眉朱顔
其班前列　上親問以升濟沉冥之道師備述其故　上
悅顧衆而言曰邇來學佛者唯飽食優游沉霾歲月而已
如金剛楞伽諸經皆攝心之要典何不研窮其義茍有不
通質諸白眉法師可也自後數召見字而不名及建鍾山
法會請師說毗尼淨戒聞者開懌時洪武五年春正月之
望也師辭歸杭之上天竺山日修西方安養之學冥心合
道不雜一念十二年秋七月朔日夢青蓮花生方池中華
色敷腴清芬襲人既寤召弟子𡈁修曰此生淨土之祥也
吾去人間世不遠乎至四日趺坐書頌合爪而寂師諱曰

號東溟天台赤城人

慧辨琦禪師誌畧　　明翰林學士宋濂

皇帝端居穆清念四海兵爭將卒民庶多殁於非命精爽無依非佛世尊不足以度之惟洪武九年秋九月　詔江南大浮屠十餘人於蔣山禪寺作大法會時楚石禪師實與其列師升座說法以聳人天龍鬼之聽竣事近臣入奏上大悅二年春三月復用元年故事　召師說法如初錫燕文樓下親承　顧問暨還出內府白金以賜三年之秋上以鬼神情狀幽微難測意遺經當有明文玅東僧中通三藏之說者問焉師以夢堂噩公行中仁公等應　召而

至館於大天界寺　上命儀曹勞之旣而援據經論成書將入朝敷奏師忽示微疾越四日趣左右具浴更衣索筆書偈曰眞性圓明本無生滅木馬夜鳴西方日出書畢謂夢堂曰師兄我將去也夢堂曰子去何之師曰西方爾夢堂曰西方有佛東方無佛耶師厲聲一喝泊然而化荼毘之餘齒牙舌根數珠咸不壞設利羅粘綴遺骨纍纍然如珠師諱梵琦楚石其字也小字曇曜明州象山人師閱首楞嚴經至緣見因明暗成無見處恍然有省歷覽群書不假師授文句自通然膠於名相未能釋去纏縛聞元叟端公倡道雙徑師往問云言發非聲色前不物其意何如元

叟就以師語詰之師方擬議欲答師叱之曰使出自是學疑塞胸如塡鉅石會元英宗詔粉黃金爲泥書大藏經有司以師善書選上燕都一夕聞西城樓鼓動汗如雨下拊几笑曰徑山鼻孔今日入吾手矣因成一偈有拾得紅爐一點雪却是黃河六月氷之句翩然南旋再入雙徑元叟見師氣貌充然謂曰西來密意喜子得之矣元泰定中行宣政院稔師之名命出世海鹽之福臻遂升主永祚永師受經之地爲創大寶閣復造塔婆七級崇二百四十餘尺功垂就勢偏將壓師禱之夜乃大雨風　珉聞鬼神相語曰天寧塔偏亟往救之遲明塔正如初其說法機用見於

六會語其遊戲翰墨見於和天台三聖及永明壽陶潛林逋諸作別有淨土詩慈氏上生偈北游鳳山西齋三集通合若干卷並傳于世予慕師之道甚久近獲執手護龍河上相與談玄因出賸語一幅求正師覽已歎曰不意儒者所造直至於此善自護持師之善誘惟此一端亦可槩見

樸隱瀞禪師誌畧

明翰林學士宋濂

嗚呼人之生也出沒氣化之中因成果隨夙有一定之業世雄氏所謂假使百千刧所作業不亡者一旦遇合雖大覺法王亦或有所不免故濂於樸隱禪師之事恒若有傷焉師住杭之靈隱入院甫浹日寺之左右序言曰寺毀日

敏恭之都寺僧司之師曰若等盍選其人乎衆咸曰有德現者稱多才昔掌崇德莊田能闢其萊蕪以食四衆儻以功舉其誰曰不然師諾之先是勤舊有閈歆現之獲田利率無賴比丘請於前主僧代之及現之被選也大懼發其奸私丞崇德縣列現過失縣令丞眞不問未幾有健令至上其事刑部刑部訊鞫既得實以師爲寺長失於檢察法當緣坐移符逮師或問師曰此三年前事爾况師實不知且不識閈宜自辨數可也師笑曰定業其可逃乎至部部吏問曰現之犯禁爾知之乎曰知之曰既知之當書責疑以上師操觚如吏言尚書暨侍郎覽之大驚咸曰師當今名

德也惡宜有是審之務得其情師了無異辭於是皆謫陝西爲民聞亦大悔且泣曰聞草芥耳豈意上累師德蚤知至此雖萬死不爲也師弗顧行至寶應謂從者道昇曰吾四體稍異常時報身殆將盡乎夜宿寧國禪寺寺之住持總虛了公與師爲舊游一見甚讙是夕共飯猶備言遷謫之故不見有憊色明旦忽端坐合爪連稱無量壽佛之名泊然而逝實洪武十一年正月十九日也焚其骨舍利叢布如珠縣大夫及薦紳之流來觀皆嘆息而去初元亡

皇明龍興召天下名桑門建會鍾阜升濟幽靈輪番說戒師與上竺東溟日公五臺壁峰金公特被召入內庭從容

問道賜食而退已而辭歸和塔若將終身焉洪武九年冬十二月靈隱虛席諸山交致疏幣延師主之師不得已而去未朞期年而崇德之禍作矣嗚呼世之學浮屠者不爲不多習教者不必修禪修禪者未嘗聞教師則兼而有之具通儒家言文又足以達其意敷闡大論發揮先哲釋門每於師是賴千百人中不能一二見焉竟以無罪謫死苟不歸之於定業將誰尤哉師於死生空矣譬如雲影谷音曾無繫着何假於銘然不見諸紀載恐無以白師於天下後世濂因詳著其事而勒諸碑師生越會稽縣其諱元瀞其字天鏡別號爲樸隱三會語有錄二卷詩文曰樸園集

葺若干卷

〔詩〕開善寺法會　梁昭明太子統

棲烏猶未翔命駕出山莊詰屈登馬嶺迴互入羊腸稍看原藹藹漸見岫蒼蒼落星埋遠樹新霧起朝陽陰池宿早鴈寒風催夜霜茲地信閑寂清曠惟道場玉樹琉璃水羽帳鬱金牀紫柱珊瑚地理幢明月璫牽蘿下石磴攀桂陟松梁澗斜日欲隱煙生樓半藏千祀終何邁百代歸我皇神功照不極睿鏡湛無方法輪明暗室慧海渡慈航塵根久未洗希霑垂露光

鍾山解講　梁昭明太子統

清宵出望園詰晨屆鍾嶺輪動文學乘笳鳴賓從靜歟出
巖隱光月落林餘影糺紛八桂客坡阤再城永伊予愛丘
壑登高至節景迢遞覩千室迤邐觀萬頃即事已如斯重
玆遊勝境精理既已詳玄言亦兼逞方知惠（疑作蕙）帶人囂
虛成易屛眺瞻情未終龍鏡忽遊騁非日樂逸遊意欲識
箕潁

和昭明太子鍾山講解　梁蕭子顯

嵩岳基舊宇盤嶺跨南京廠心重禪室遊駕陟層城金輅
徐既動龍驂躍且鳴塗方後塵合地迥前笳清邐迤因臺
榭參差憩羽旌高隨閶風極勢與元天并氣歇連松遠雲

昇秋埜平徘徊臨井邑表裏見淮瀛祈一作辦果尊常住渴

慧在無生暫聞石山軌欲知芳杜情鞠躬荷嘉慶瞻道閒

頌聲

和昭明太子鍾山講解　梁劉孝綽

御鶴翔伊水策馬出王田我后遊祇鷲比事實光前翠葢

承朝景朱旗曳曉煙樓帳縈巖谷緹組曜林阡況在登臨

地復及秋風年喬柯變夏葉幽澗潔涼泉停鑾對寶座辯

論悅人天淹塵資海滴昭暗仰燈燃法朋一已散笳鼓儼

將旋邂逅逢優渥託乘侶才賢摛辭雖並命遺恨獨終篇

和昭明太子鍾山講解　梁劉孝儀

[illegible]與[illegible]東序時駕出西園雖窮理遊盛終爲塵俗喧豈如厥[illegible]覺揚鑾啓四門夜氣清簫管曉陣爍郊原山風亂采眊初景麗文轅林開前騎騁逕曲羽旄屯煙壁浮青翠屺瀨響飛奔迴輿下重閣降道訪眞源談空匹泉涌綴藻邁弦繁輕生逢遇誤並作輩龍鴿顧巳同偏爵何用挹衢樽

和昭明太子鍾山講解　梁陸倕

終南鄰漢闕高掌跨周京復此虧山嶺穹隆距帝城當衢啓朱館臨下構山楹南望窮淮溆北眺盡滄溟步簷時中宿飛階或上征網戶圖雲氣龕室畫仙靈副君憐世網廣命萃入英道筵終后說鑾轡出郊坰雲峯響流吹松野映

風旌層心嘉柱若神藻茂琳瓊多謝先成敏空頒後乘榮

登鍾山下峯望　梁虞騫

冠者五六人携手巖之際散意百仞端極目千里睇疊岫乍昏明浮雲時卷閉遙看野樹短遠望樵人細

遊鍾山應西陽王教五章　梁沈約

靈山紀地德地險資岳靈終南表秦觀少室邇王城翠鳳翔淮海衿帶遶神垌北阜何其峻林薄杳葱青　一　發地多奇嶺千雲非一狀合沓共隱天參差互相望鬱律構丹巘崚嶒起青嶂勢隨九疑高氣與三山壯　二　即事旣多美臨眺殊復奇南瞻儲胥觀西望昆明池山中咸可悅賞逐四

時移春光發龍首秋風生桂枝三多值息心侶結架山之足八解鳴澗流四禪隱巖曲窈冥終不見蕭條無可欲所願從之遊寸心於此足四君王挺逸趣羽旆臨崇基白雲隨玉趾青霞雜桂旗淹留訪五藥顧步佇三芝於焉仰鑣駕歲暮以爲期五

奉和法筵應詔　北周庾信

五城鄰北極百雉壯西昆鈎陳橫複道閶闔抵靈軒千桂蓮花塔由旬紫紺園佛影胡人記經文漢語飜星窺朱鳥牖雲宿鳳凰門新禽解雜囀春柳臥生根早雷驚蟄戶流雪長河源建始移交讓徽音種合昏風飛扇天辨泉湧屬

綵言覊臣從散木無以預中天　遙可望終類仰鵾絃

遊鍾山開善寺　陳徐伯陽

聊追鄴城友躧步出蘭宫法侣殊人世天花異俗中鳥聲不測處松吟未覺風此時超愛網還復洗塵蒙

開善寺　陳陰鏗

鷲嶺春光遍王城野望通登臨情不極蕭散趣無窮鶯隨入戶樹花逐下山風棟裏歸雲白牕外落暉紅古石何年卧枯樹幾春空淹留昔未及幽桂在芳叢

遊鍾山之開善定林　陳釋洪偃

杖策步前嶺褰裳出外扉輕蘿轉蒙密幽逕復紆威樹高

枝影細山盡鳥聲稀石苔時滑鼪蟲網乍粘衣澗旁紫芝曄巖上白雲霏松子排煙去堂生寂不歸窮谷無還往攀桂獨依依

蔣山開善寺　唐崔峒

山殿秋雲裏香煙出翠微客尋朝磬至僧背夕陽歸下界千門在前朝萬事非看心兼送目葭菼自依依

同羣公宿開善寺　唐高適

駕車出人境避暑投僧家徘徊龍象側始見香林花讀書不及經飲酒不勝茶知君悟此道所未披袈裟談空忘外物持戒破諸邪則是無心地相看唯月華

贈鍾山韋處士　唐白居易

新竹夾平流新荷拂小舟衆皆嫌拙好誰肯伴閒遊客爲忙多去僧因飯暫留猶憐韋處士盡日共悠悠

送韋邕少府歸鍾山　唐李嘉祐

禪門宦罷後負笈向桃源萬卷長開帙千峯不閉門綠楊垂野渡黃鳥傍山村念爾能高枕丹墀會一論

和友封題開善寺　唐元稹

梁王開佛廟雲構歲時遙珠綴飛閑鴿紅泥落碎椒燈籠青焰短香印自灰銷古匣收遺施行廊畫本朝藏經霑雨爛魔女捧花嬌亞樹牽藤閣橫查壓石橋竹荒新筍細池

淺小魚跳匠正琉璃尾僧鋤芍藥苗旋烝茶嫩葉偏把椰
長條便欲忘歸路方知隱易招

蔣山開善寺　南唐李建勳

樓臺雖少景何深滿地青苔勝布金松影晚留僧共坐水
聲閑與客同尋清涼會擬歸蓮社沉湎終須棄竹林長愛
寄吟經案上石窗秋霽向千岑

同王勝之遊蔣山　宋蘇軾

到郡席不暖居民空惘然好山無十里遺恨恐他年欲款
南朝寺同登北郭船朱門收畫戟紺宇出青蓮荊公宅已爲寺夾
路蒼髯古迎人翠麓偏龍腰蟠故國鳥爪寄曾巔竹杪飛

華屋松根泣細泉峯多巧障日江遠欲浮天略彴橫秋水浮圖挿暮煙歸來踏人影雲細月涓涓

和子瞻同王勝之遊蔣山　宋王安石

子瞻同王勝之遊蔣山有詩余愛其峯多巧障日江遠欲浮天之句因次其韻

金陵限南北形勢豈其然楚役六千里陳亡三百年江山空幕府風月自舵船主送悲涼岸妃埋想故蓮臺傾鳳久去城踞虎爭偏司馬墉廟域獨龍層塔巔森疏五願木蹇淺一人泉稅杖窮諸嶺藍輿罷半天朱門園淥水碧瓦第青煙墨客真能賦畱詩野竹娟

遊鍾山　宋王安石

兩山松櫟暗朱藤一水中間勝武陵午梵隔雲知有寺夕陽歸去不逢僧

登鍾山謁寶公塔　宋李綱

寶公真至人鳥爪金色身杖攜刀尺拂語隱齊梁陳我登鍾山頂白塔高嶙峋再拜禮雙足聊結香火因

寶公塔　宋曾極

六帝園林墮刼灰獨餘靈骨葬崔嵬行人指點雲間鶴喚得齊梁一夢回

八功德水　宋曾極

數斛供厨替八珍穿松漱石瑩心神中涵百衲煙霞氣不

染齊梁歌舞塵

蔣山法會瑞應詩應制作　明王偁

寶地捧金仙璇宮啓梵筵眞僧騰異域開士唱三緣說法雲成蓋談經花雨天祥光凝彩絢甘露瀉珠圓大樂憑虛下神燈徹夜懸勝因濟玅筏覺路指迷川祇樹春光溢靈山會儼然願玆弘至化　皇運共千年

春日蔣山應制詩　明林鴻

鍾山月曉樹蒼蒼鳳輦乘春到上方馴鳥不隨天仗散曇花故落御衣香珠林霽雪明山殿玉澗飛泉近苑牆自媿才非枚乘匹也陪巡輦沐恩光

靈谷寺法會應制　明釋守仁

寒巖草木政嚴冬一日春回雨露濃安石故居遺雪竹道林新塔倚雲松木魚聲斷催朝飯銅鼎香銷起暮鐘千載奎文畱秘藏天光午夜照金容

靈谷寺法會應制　明釋清濬

老來一鉢住巖幽塵境無心得自由空裏每看花滿眼鏡中漸覺雪盈頭吟餘月照千峯夜定起雲生萬壑秋身世已知渾是夢百年光景水東流

詔於龍灣普放水燈賦　明釋夷簡

持節馮夷向夕過遠分燈火出官河斗牛光動天垂野風

露聲沉水息波海族樓臺休罷市鮫人機杼不停梭九泉無復悲長夜莫問南山白石歌

法會賦迎駕詔皇太子諸王同觀　明釋夷簡

千騎東華玉輦來鍾山渾勝玅高臺旌旗寶樹重重入樓閣香雲一一開仙杖齋從三日幸春宮詔許五王陪近臣共說天顏喜收得娑羅樹子廻

靈谷寺　明蔡汝楠

禪關何窈窕春物正氛氳簷絮兼花度山鐘帶雨聞鳥喧僧出定樹暝客離羣獨向清齋臥空令夢白雲

遊靈谷寺　明皇甫汸

寶公舊日安禪處，雙樹依然初地開。歲久丹青凋畫壁，春深花雨落經臺。招提境接橋山外，功德池分灞水來。聞說此中容吏隱，濫巾時向草堂回。

訪月泉禪師　明徐元春

山郭尋僧出，行行黃葉邊。石泉秋聽急，江月坐來圓。性破長昏夜，門開不住天。時聞鐘磬發，獨立萬峰前。

上巳日集靈谷寺　明王世懋

寶公塔掛白雲隈，西接鍾陵王氣迴。錫住靈峰鷲鶴去，鉢分慈水噀龍來。松風落子春陰寂，山鳥啼花暝色催。今日便成千載勝，不須重憶永和才。

靈谷寺梅花塢六首　明焦竑

山下幾家茅屋村中千樹梅花藉草持壺燕坐隔林敲石煎茶一　簷蔔林東短牆曾開寶地齊梁初春老樹花發深澗無人水香二　一枝初出巖阿看盡千林未多天女知空結習散花不礙維摩三　二十四番風信四百八寺樓臺何似草堂梅燕同人先探春回四　落落半橫參月溶溶盡洗鉛華盈盈湘浦解佩脉脉蘿村浣紗五　西湖夢斷人寂東閣粧殘月斜襟解微聞薌澤鈿昏半卸檀霞六

遊靈谷寺　明焦竑

法筵開浩刧佛塔自先朝磴石三休至松雲十里遥禪心

臨步寂寥望對秋高不盡經行意頹垣起暮簫

附

靈谷併括舊寺

按志鍾山有寺七十所齊梁以降遞有廢興至宋王丞相安石併諸小刹於太平興國寺而紺園金界半爲丘墟矣　國朝撫其地爲　孝陵乃歸併靈谷寺昔之棊置星列者遺址俱在禁垣内今以一靈谷槩之然其名蹟最著見之誌傳凡十有六曰飛流寺曰半山寺曰崇禧萬壽寺曰延賢寺曰靈味寺曰興皇寺曰竹林寺曰大愛敬寺曰雲居寺曰明慶寺曰道林寺曰秀峯院曰雪峯菴曰定林院曰悟眞院曰定巖寺見之山水古蹟

人物凡十二曰翠微寺曰法雲寺曰興教寺曰宋熙寺
曰白蓮菴曰栽松菴曰定林寺曰靈曜寺曰鍾山寺曰
淨名寺曰幽棲寺曰草堂寺皆附見於靈谷寺後

山水　鍾山見靈谷寺寶珠峰上有翠微寺天氣晴朗望見廣陵城道卿巖宋葉清臣
字道卿嘗遊一人泉絶頂古法雲寺側僅容一勺挹之不竭洗鉢池塔西二里法雲
寺基方池慶元志在興教寺故基落叉池塔西宋熙泉近宋熙寺側玉澗山西
蔣祠前孫陵東岡楊梅巖山西彈琴石在北嶺中道清溪上桃花塢獨龍
岡西北白蓮池古白蓮菴前猿驚谷鶴怨谷二谷因草堂北山移文內
句好事者加之桂嶺志稱碧石青林幽阻深靚定心石東山巔下臨峭壁半山墩
在八功德水南即謝公墩自栽松菴至蔣山夾道皆
長松劉煇詩云兩道奇陰迎翠合四圍清氣逼人來

見正志錄**珠湖洞**東麓即鍾山仙洞道書朱湖洞天**茱萸塢**山南宋陸道士靜修餌茱萸處**黑龍潭**山頂一人泉西曾有龍見今深廣不數尺**道士塢**塔東陳宣帝禮玄靖滅蹤處**東澗**塔西梁處士劉訏隱處古宋熙寺東**屛風嶺**幽邃如畫鍾山最秀處**頭陀峯**山北**霹靂溝**南麓**寶公井**東昜市心**曲水**晉海西公於鍾山立流杯曲水延百僚水經註曰舊樂遊苑宋元嘉十一年以其地爲曲水引流轉觴賦詩**應潮井**山半古定林寺前盈縮與江潮相應唐貞觀中有牧兒汲此井得杉板長尺餘上有朱漆字曰吳赤烏二年豫章王子駿之船**栽松峴**山西晉宋刺史罷還令栽松**道光池**梁靈曜寺前宋熙寧間道光禪師斸

古蹟

靜壇梁侍中周捨立靜壇與道士塢相對時武帝問其壇如何對曰風不鳴條雲無膚寸鹿巾黃帔甚多白簡朱衣罕至因名在古明慶寺前與八功德水相近**讀書臺**古定林寺後北高峯上梁昭明嘗此讀書**九日臺**在蔣廟孫陵岡齊武帝建商飈館岡上每九月九日晏羣臣講武以

應金氣　**說法臺**山絶頂寶公**招賢館**西巖下宋元嘉之節　說法其上　中文帝築以館雷次**會宗堂**晉謝尚諸人隱處唐大曆中處士**誌公**宗　韋渠牟亦隱此顏真卿爲之題履**寶公舊像**相傳沉香爲之宋初取歸京師陳軒金陵集載狄咸游蔣山詩云旃檀歸象魏窣堵臥煙霞謂此**旃檀像**大通四年梁武帝於大愛敬寺置造一丈六尺像量剩二尺成丈八尺歷寺主僧給重量凡五度量即成二丈七寸時以爲誠感出金陵新志**銅像**隋時與皇寺佛殿被焚中丈六銅像自移南五六尺許形得安全**石**四面瓦土灰炭去像五六尺曾不塵玷出弘明集

篆寶公記宋祚文太平興國七年舒民柯藝掘得下萬歲山古松下**兩翁軒**洪覺範詩序云悟真菴西踈竹林間蒼崖千尺歲久拆裂余崇素行山中至此未嘗不徘徊菴僧爲開高軒向之盡收形勝名兩翁軒詩云水邊修竹纔堪數林外蒼崖已半頹**婁禪師塔**寺後向東**木末軒**王荆公題俯視岩壑亂松參天幽邃絶勝**半山亭**即宋王安石故宅安石嘗賦詩十五首**昭**

文齋王荆公鍾山捨宅爲半山寺米芾題其讀書處曰昭文齋

人物　宋　畺良耶舍每一禪觀七日不起止道林精舍寶誌崇其禪法　僧伽達多嘗坐禪山中忽欲虚齋有羣鳥啣果飛來授之　杯度有傳　僧審住靈曜寺精勤諮受曲盡深奥時羣劫入山審端坐不動乃脱衣施之又說法訓曷劫劫賊慙愧流汗作禮而去　齊　慧開解名析理應變無窮雖逢勍敵巧談罕有折其角者講席基連學人影赴陳郡謝譓雅相欽賞出守豫章迎請講說厚加襯遺還未達都分散已盡彭城劉業出守晉安知居處屢空餉錢一萬即贍寒餒不終一日　道禪住鍾山雲居下寺聽綴衆部偏以十誦知名經畧道化僧尼信奉故有稜威振發以見聲名恬愉誘悟議干風采都邑受其戒範者數越千人　智欣住宋熙寺確然自得不與富貴遊往　智順有傳畧　道營住靈曜寺　梁　寶亮有傳畧　道隆鍾山寺得度掩關不事事日鬻數籩自適有寺僧戲問如何是無諍三昧師便合掌　慧初好習禪念常閑居空宇不覺霆雷擊大震武帝爲立禪

房於淨名法意起五十三寺鍾山寺處之延賢寺其一也慧勝從外國禪師達磨提婆學諸觀行一入寂定周晨乃起住幽棲寺後移憇鍾山延賢精舍陳尚禪師有碑銘法朗有傳畧唐曇璀有傳畧附參講棲覽宋雷次宗字仲倫豫章南昌人少慕棲逸不關榮利元嘉十五年徵至建康除給事中不就久之還廬山後又徵至爲築室鍾山西巖下爲太子諸王講喪服禮經次宗不入公門乃使自華林東門入延賢堂就業二十五年卒於鍾山齊周顒字彥倫於鍾山西立隱舍爲休沐清貧寡欲終日長蔬獨處山舍甚機辯王儉謂顒曰卿山中[illegible]所食顒曰赤米白鹽綠葵紫蓼文惠太子問顒菜[illegible]勝顒曰春初早韭秋末晚菘後捨宅爲草堂寺令移[illegible]仁鄉唐家渡否了[illegible]充字茂灌生平公俸咸以[illegible]延賢寺巳宅亦捨爲

文

鍾山飛流寺碑銘

梁元帝

清梵夜聞風傳百常之觀寶鈴朝響聲揚千秋之宮同符

上隴望長安之城闕有類偃師瞻洛陽之臺殿瞰連甍際如綺雜卉木而成帷銘曰雲聚峯高風清鐘徹月如秋扇花疑春雪極目千里平原迢遞

謝半山寺額表　宋丞相王安石

基迹叢祠冀鴻延於萬壽鈞名扁牓竊榮遇於一時臣生之寸長世叨殊獎賤息奄先於犬馬頹齡俯迫於桑榆獨念親逢莫有消埃之補報永惟宏願豈忘香火之因緣伏蒙陛下俯狥祈誠特加和美所懼封人之祝終以堯辭乃塵長者之國遽如佛許仰憑護念誓畢薰修

崇禧萬壽寺碑記畧（元時另建寶公塔後）　元四川行省平章趙世延

昔在我世祖皇帝膺上天之景運承太祖之丕基混一海宇建立制度條理綱紀一出睿思以爲子孫萬世之成法者昭乎若天旋而日行也乃若崇尚佛教營治塔寺亦必弘偉殊勝足以聳臣民之瞻焉曆數在躬天之所命孰能違之若夫大雄妙覺之尊默相潛佑者必有其徵矣是以累聖相承率是而行之也潛邸在金陵時於暇日登鍾山而觀之見其江山之縈廻樹藝之廣茂民庶之熙洽慨然興嘆以爲我祖宗德澤之涵煦以至于斯也問諸邦人父老則又以爲昔有聖僧曰寶公者自梁以來實委靈茲山皆賴我國家之神力以覆護吾民也水旱疾疫凡有禱焉

隨願輒應於是上感焉鍾山之陰有石巖中虛下出流泉注八功德水乃即巖中作觀音大士像岩前構木棧虛容瞻禮者既而又以爲未足即珠峰之北得高爽之福地規置大刹宫殿樓閣如自天降寶公之塔在峰上正當其前來兹山者仰而望之如見天宫於林壑之表然後上仁民愛物之心所以屬諸寶公者衆庶莫不知之相與踴躍而讚嘆矣鍾山之舊寺聚銅數萬斤鑄大鐘金既在鎔上以碧珠投之及鐘成碧珠不壞完好堅固宛在鑾鈕萬目驚覩以爲寶公之報賜焉天曆元年九月甲申臣世延臣集入見親詔之曰宜加寶公號曰道林真覺慧感慈應普濟

聖師寺曰大崇禧萬壽寺汝世延等其勒文以記之臣世延等卽具述其事而竊思之曰帝王之興也天與之天保之百靈受職符瑞交現此其常也金陵據東南之會山川鬼神翼扶翕張於吾君者盖凡五年而後歸正大統宜皇心之注於斯乎於乎累朝佛宇之盛皆臨御時爲民禱禁賚用功力有司具焉兹寺之成實在試難之日出私財以具事而雄麗若此此固生民之所以深感乎淵衷而實公之所以顯著於禎符者也於乎休哉敢再拜稽首而獻銘曰大江之南鍾山龍蟠王氣潛鬱神所保完於皇聖明遵養時晦靈祇奉天竦立以待春殷秋高來遊來遨旂有交

龍載雲在郊顧瞻原隰有稼有穡元元之生聖聖之澤民亦望之帝子寔來不鄙我邦庶無苦滅維梁寶公去之千歲善福其民有引弗替皇運勃興寶有慧知奔走先後克相厥時奕奕祠宫我營我作我報無私爾感無怍吉金之良爍濕不移萬古在簴宣號震迷寶乃發祥以肅羣聽明珠不灼彰上之賜飛龍在天臨制九圍皇心衷回眷玆崇禧崇禧之宇永殿南服天子萬年錫我民福

延賢寺杯度傳　　高僧傳

杯度者不知姓名常乘木杯度水因而爲目初在冀州後至京師見時可年四十許帶索繿縷殆不蔽身言語出沒

喜怒不均或嚴氷扣凍而洗浴或著屐上山或徒行入市唯荷一蘆圌子更無餘物乍往延賢寺法意道人處意以別房待之後欲往瓜步江於江側就航人告度不肯載之復累足杯中顧眄吟詠杯自然流直度北岸向廣陵遇村舍有李家八關齋先不相識乃直入齋堂而坐置蘆圌於中庭衆以其形陋無恭敬心李見蘆圌當道欲移置牆邊數人舉不能動度食竟提之而去笑曰四天王福於李家於時有一豎子窺其圌中見四小兒並長數寸面目端正衣裳鮮潔於是追覔不知所在後三日乃見在西界蒙龍樹下坐李家拜請還家日日供養沛國劉興伯爲兗州刺

度遣使邀之負圖而來與伯使八舉視十餘人不勝伯自看唯見一敗衲及一木杯後還李家復得三十餘日清旦忽云欲得一袈裟中時令辦李即經營至中未成度云暫出至瞑不反合境聞有異香疑之爲惟處處覓度乃見在北巖下鋪敗袈裟於地臥之而死頭前脚後皆生蓮華華極鮮香一夕而萎邑人共殯葬之後數日有人從北來云見度負蘆圖行向彭城乃共開棺唯見葬履既至彭城遇有白衣黃欣深信佛法見度禮拜請還家其家至貧但有麥飯而已度甘之怡然止得半年忽語欣云可覓蘆圖三十六枚吾須用之答云此間正可有十枚貧無以買恐不

盡辦度曰汝但檢覔宅中應有欣卽窮檢果得三十六枚列之庭中雖有其數亦多破敗比欣次第熟視皆已新完度密封之因語欣令開乃見錢帛皆滿可堪百許萬識者謂是杯度分身他土所得䞋施迴以施欣欣受之皆爲功德經一年許度辭去欣爲辦糧食明晨見糧食具存不知度所在經一月許復至京師時潮溝有朱文殊者少奉法度多來其家文殊謂度云弟子脫捨身沒苦願見救度脫在好處願爲法侶度不答文殊喜曰佛法默然已爲許矣後東遊入吳郡路見釣魚師因就乞魚漁師施一餧者度手弄反覆還投水中游活而去又見網師更從乞魚網師

瞋罵不與度乃拾取兩石子擲水中俄而有兩水牛鬭其網中網既碎敗不復見牛度亦已隱行至松江乃仰蓋於水中乘而度岸經涉會稽剡縣登天台數月而反京師時有外國道人名僧佉吒寄都下長干寺住有客僧僧悟者與吒同房宿於牕隙中見吒取寺刹捧之入雲然後將下悟不敢言但深加敬仰時有一人姓張名奴不知何許人不甚見食而常自肥悅冬夏常著單布衣佉吒在路行見張奴欣然而笑佉吒曰吾東見蔡㹠南訊馬生北遇王年今欲就杯度乃與子相見耶張奴乃題槐樹而爲歌曰濛濛大象内照曜實顯彰何事迷昏子縱惑自招殃樂所少

人往苦道若翻囊不有松栢志何用擬風霜閑預紫煙表長歌出昊蒼澄虛無色外應見有緣鄉歲曜毗漢后展麗傳殷王伊余非二仙晦迹之九方亦見流俗子觸眼致酸傷略謠觀有念寧曰盡衿章佉吒曰前見先生禪思幽岫一坐百齡大悲熏心靖念枯骨亦題頌曰悠悠世事惑滋損益使欲塵神横生澆懌惟此哲人淵覺先見思形浮沫矚影遊電累蹟聲華蔑醜章升視色悟空玩物傷變捨紛絶有斷習除戀靑絛幽蔭白茅以薦依畦啜麻鄰崖飲溶慧定託昭玅眞曰眷慈悲有增深想無倦言竟合去尒後月日不復見此二人傳者云將僧悟共之南岳不反張奴

與杯度相見甚有所叙人所不解度猶停都少時遊止無定請召或往不往時南州有陳家頗有衣食度往其家甚見料理聞都下復有一杯度陳父子五人咸不信故下都看之果如其家杯度形相一種陳爲設一合蜜薑及刀子熏陸香手巾等度即食蜜薑都盡餘物宛在膝前父子五人恐是其家杯度即留二弟停都守視餘三人還家家中杯度如舊膝前亦有香刀子等但不噉蜜薑爲異乃語陳云刀子鈍可爲磨之二弟都還云彼度已移靈鷲寺其家杯度忽求黄紙兩幅作書書不成字合同其背陳問上人作何券書度不答竟莫測其然時吳郡民朱靈期使高驪

還值風船飄經九日至一洲邊洲上有山山甚高大入山採薪見有人路靈期乃將數人隨路告乞行十餘里聞磬聲香煙於是共稱佛禮拜須臾見一寺甚光麗多是七寶莊嚴見有十餘僧皆是石人不動不搖乃共禮拜速行步許聞唱導聲還往更看猶是石人靈期等相謂此是聖僧吾等罪人不能得見因共竭誠懺悔更往乃見眞人爲期等設食食味是菜而香美不同世期等食竟共叩頭禮拜乞速還至鄉有一僧云此間去都乃二十餘萬里但令至心不憂不遠也因問期云識杯度道人不答言甚識因指北壁有一囊掛錫杖及鉢云此是杯度許今因君以鉢與

之并作書著函中别有一青竹杖語言但擲此杖置舫前水中閉船静坐不假勞力必令速至於是辭别令一沙彌送至門上語言此道去行七里便至舫不須從先路也如言西轉行七里許至舫即具如所示唯聞舫從山頂樹木上過都不見水經三日至石頭淮而住亦不復見竹杖所在舫入淮至朱雀乃見杯度騎大航蘭以箠捶之曰馬馬何不行觀者甚多靈期等在舫遥禮之度乃自下舫取書并鉢開書視之字無人識者度大笑曰使我還那取鉢擲雲中還接之云我不見此鉢四千年矣度多在延賢寺法意處時世以此鉢異物競往觀之一説云靈期舫漂至一

窮山遇見一僧來云是度上弟子曾持師鉢而死冶城寺今因君以鉢還師但令一人擎鉢舫前一人正柂自安隱至也期如所教果獲全濟時南州杯度當其騎蘭之日尒日早出至晚不還陳氏明旦見門扇上有靑書六字云福德門靈人降字劣可識其家杯度遂絶迹矣都下杯度猶去來山邑多行神呪時庾常婢偷物而叛四追不擒乃問度度云巳死在金城江邊空冢中往看果如所言孔甯子時爲黃門侍郎在廨患痢遣信請度度呪竟云難差見有四鬼皆被傷截甯子泣曰昔孫恩作亂家爲軍人所破二親及叔皆被痛酷甯子果死又有齊諧妻胡毋氏病衆治

一不愈後請僧設齋齋坐有僧聽道人勸迎杯度度既至一呪病者即愈齊諧伏事爲師因爲作傳記其從來神異大略與上同也至元嘉三年九月辭諧入東留一萬錢物寄諧倩爲營齋於是別去行至赤山湖患痢而死諧即爲營齋并迎尸還葬建業之覆舟山至四年有吳興邵信者甚奉法遇傷寒病無人敢看乃悲泣念觀音忽見一僧來云是杯度弟子語云莫憂家師尋來相看荅云度師已死何容得來道人云來復何難便衣帶頭出一合許散與服之病即差又有杜僧哀者住南岡下昔經伏事杯度兒病甚篤乃思念恨不得度練神呪明日忽見度來言語如常即

爲呪病者便愈至五年三月八日度復來齊諧家呂道慧聞人坦之杜天期水丘熈等並共見皆大驚即起禮拜度度語衆人言年當大凶可勤修福業法意道人甚有德可往就其修立故寺以禳灾禍也須臾間上有一僧喚度度便辭去云貧道當向交廣之間不復來也齊諧等拜送慇懃於是絶迹頃世亦言時有見者旣未的其事故無可傳也

延賢寺釋智順傳略　高僧傳

釋智順瑯琊臨沂人出家事鍾山延賢寺智度爲師受具戒秉禁無疵常以事生非慮頗致坎折而貞素確然其徽

無黜司空徐孝嗣崇其行解奉以師敬及東昏失德孝嗣被誅子緄逃竄避禍順身自營護卒以獲免緄後重加資俸一無所受嘗有夜盜順者淨人追而擒之順留盜宿于房内明旦遺以錢絹踰而遣之後東遊禹穴止于雲門精舍法輪之盛復見江左以天監六年卒於山寺初順之疾甚不食多日一時中竟忽索齋飯弟子曇和以順絶穀日久密以半合米雜煮以進順順咽而還吐索水洗漱語和云汝永出雲門不得還住其執節精苦皆此之類遺命露骸空地以施蟲鳥門人不忍行之乃窆于寺側弟子等立碑陳郡袁昂製文順所著法事讚及受戒弘法等記皆行

於世

靈味寺釋寶亮傳略　　高僧傳

釋寶亮東莞胄族晉亂避地於東莱弦縣亮年十二出家師青州道明法師就業專精一聞無失及具戒之後便欲覩方弘化每惟訓育有本末能遠絶緣累明謂曰沙門去俗以宣通爲理豈可拘此愛網使吾道不東乎亮感悟因遊京師居中興寺袁粲一見而異之與明書曰頻見亮公非常人也比日聞所未聞不覺歲之將暮珠生合浦魏人取以照車璧在邯鄲秦王請以華國天下之寶當與天下共之非復上人貴州所宜專也及本親喪亡路阻不得還

北因屏居禪思杜絶人事齊竟陵文宣王躬自到房請爲法匠亮不得已而赴文宣接足恭禮結菩薩四部因緣後移憩靈味寺今上龍興尊崇正道以亮德居時望亟延談說亮任性率直每言輒稱貧道上雖意有間然而挹其神出天監八年初勑亮撰涅槃義疏十餘萬言上爲之序曰非言無以寄言言卽無言之累累言則可以息言言息則諸見競起所以如來乘本願以託生現慈力以應化離文字以設教忘心相以通道欲使珉玉異價涇渭分流制六師而正四倒反八邪而歸一味折世智之角杜異人之口導求珠之心開觀象之目救燒灼於火宅拯沉溺於浪海

故法雨降而燋種受榮慧日升而長夜蒙曉發迦葉之悱憤吐眞實之誠言雖復二施等於前五大陳於後三十四問參差異辯方便勸引各隨意荅舉要論經不出兩途佛性開其本有之源涅槃明其歸極之宗非因非果不起不作義高萬善事絕百非空空不能測其眞際玄玄不能窮其玅門自非德均平等心合無生金牆玉室豈易入哉有青州沙門釋寶亮者氣調爽拔神用儁舉少貞苦節長安法忍耆年愈篤齠齓不衰流通先覺孳孳如也後進晚生莫不依仰以天監八年五月八日勑亮撰大涅槃義疏以九月二十日訖光表微言贊揚正道連環既解疑網云除

條流明悉可得略言朕從容暇日將欲覽焉聊書數行以爲記莂云介亮福德招感供施累積皆散不蓄以天監八年十月四日卒於靈味寺葬鍾山之南立碑募所陳郡周興嗣廣陵高爽並爲製文文宣圖其形像於普弘寺焉

尚禪師碑銘　　陳江總

百世之上百世之下含章隱璞明眞照假空行已無希音和寡不有耆德誰其繼者朗月靈懸高風獨寫

興皇寺釋法朗傳略　　高僧傳

法朗沛人少習軍旅早經行陣北伐於青州入道永定中奉勅住興皇寺大建十三年遷化窆於攝　西嶺太子詹

事江總爲誌文後主時在東宮爲銘曰洪源遠采傳芳馥蕙君子哲人英芬星繼朱旄既杖青組仍曳紉虎戎卸貳貌狄制功可寇軍業非出世揖彼聲華超此津濟津濟伊何裂斷網羅忍衣早記乘樓夜過航斯苦海涸此愛河若非智士孰寄宣揚法雲廣被慧日舒光既推銜櫓自闢金湯夢齊鼓說應異鍾霜識機知命同彼現病夙心栖遁度脫難竟化緣已矣乃宅丘穿智炬寂滅頹巖遼敻遼敻空岑搖落寒侵弦餘月暗霧下松深香滅窮壠旛橫宿林切切晉清遼遼鼓聲野煙四合孤禽一鳴風悽唄斷流急寒生神之淨土形沈終古勒此方墳用旌蘭杜

竹林寺釋曇瓘傳略　高僧傳

釋曇瓘吳郡人事牛頭山融大師融誨之曰色聲爲無生之鴆毒受想是至人之坑穽致遠多泥子不務乎瓘默而審之直轡獨上廼晦跡鍾山斷其漏習納衣空林多歷年所時則天臨朝高其道業周勤詔書時棲霞約法師敦勸朝天瓘曰岐伯辭帝舜之師干木謝文侯之命玄暢以善論而抗宋主惠遠不下山而傲齊后彼何人哉由是遁北阜踰東岡考槃雲冥後止于竹林之隩葺宇篔簹而告老焉俄端然入定七日而滅

附鍾山隱士與子侄書　宋隱士雷次宗

夫生之修短咸有定分定分之外不可以智力求但當於所禀之中順而勿率耳吾少嬰羸患謝事鍾山養疾爲性好閒志棲物表故雖在童稚之年已懷遠迹之意暨於弱冠遂託業廬山逮事釋和尚於時師友淵源務訓弘道外慕等夷內懷悱發於是洗氣神明玩心墳典勉志勤躬夜以繼日爰有山水之好悟言之歡實足以通理輔性成夫亹亹之業樂以忘憂不知朝日之宴矣自遊道餐風二十餘載淵匠既傾良朋凋索續以釁逆違天備嘗荼蓼疇昔誠願頓盡一朝心慮荒散情意衰損故遂與汝曹歸耕壟畔山居谷飲人理久絶日月不處忽復十年犬馬之齒已

踰知命崦嵫將迫前塗幾何實遠想尚子五岳之舉近謝居室瑣瑣之勤及今耄未至惛耄不及頓尚可厲志於所期縱心於所託棲誠來生之津梁專氣莫年之攝養玩歲日於良辰偷餘樂於將除在心所期盡於此矣汝等年各成長冠娶已畢修惛衡泌吾復何憂但願守全所志以保令終耳自今以往家事大小一勿見聞子平之言可以爲法

與鍾山隱士周顒書　釋智林

近聞檀越叙二諦之新意陳三宗之取捨聲殊恒律雖進物不速如貧道鄙懷謂天下之理惟此爲得焉不如此非

理也是以相勸速著紙筆比見往來者聞作論已成隨喜充遍物非常重又承檀越恐立異當時干犯學衆製論雖成定不必出聞之懼然不覺興悲此義旨趣似非初開劫音中絕六十七載理高常韻莫有能傳貧道年二十時便參得此義常謂藉此微悟可以得道竊每歡喜無與共之年少見長安耆老多云關中高勝迺舊有此義當法集勝時能深得斯趣者本無多人即犯越常情後進聽受便自甚寡傳過江東略無其人貧道捉塵尾已來四十餘年東西講說謬重一時其餘義統頗見宗錄惟有此途白異無一人得者貧道積年迺爲之發病既衰痾末命加復旦夕

西旋顧惟此道從今永絶不言檀越天機發緒獨創方寸非意此音猥來入耳且欣且慰實無以況建明斯義使法燈有種始是眞實行道第一功德雖復國城妻子施佛及僧其爲福利無以相過旣幸已詮述想便宜廣宣使賞音者見也論明法理當仁不讓豈得顧惜衆心以失奇趣耶若此論已成遂復中寢恐檀越方來或以此爲法障往之懇也然非戲論矣想便寫一本爲惠貧道齋以還西使處處弘通也比小可牽曳故入山取叙深企付之

詩

鍾山曲水　南宋謝惠連

四時著平分三春禀融爍遲遲和景婉夭夭園桃灼攜朋

斯郊野昧旦辭壓郭斐雲輿翠嶺芳飈起華薄解轡偃崇丘藉草遶回壑際渚羅時蔌託波泛輕爵

遊鍾山大愛敬寺　梁武帝

曰予受塵縛未得留蓋纏三有同永夜六道等長眠才性之方便智力非善權生住無停相刹那即徂遷歎逝比悠稔交臂乃奢年從流旣難反弱喪謂不然二苦常追隨三毒自燒然貪癡養憂畏（一作愛）熱惱生焦煎道心理歸終信首故宜先篤言追善友回輿尋勝緣面勢周大地縈帶極長川稜層疊嶂遠迤邐隥道懸朝日照花林光風起香山飛鳥發差池出雲去連綿落英紛綺色墜露散珠圓當道

藤蘿靡臨堦竹便娟幽谷響嚶嚶石瀨鳴濺濺薙短未中攬葛嫩不任牽攀緣傷玉澗褰陟度金泉長途弘翠微香樓間紫煙慧居超七淨梵住踰八禪始得展身敬方乃遂心虔菩提聖種子十力（一作萬）良福田正趣果上果歸依天中天一道長死生有無離二邊何待空同右豈羨汾陽前以我初覺意貽爾後來賢

和武帝遊鍾山大愛敬寺　梁昭明太子統

唐遊薄汾水周載集瑤池豈若欽明后廻鑾鷲嶺岐神心鑒無相仁化有有爲以茲慧日照復見法雨垂萬邦躋仁壽兆庶滌塵羈望雲雖可識日用豈能知鳩名冠子姒德

澤邁軒羲班班仁獸集疋疋翔鳳儀善遊兹勝地兹岳信靈奇嘉木互紛紀層峯欝蔽虧丹藤繞垂幹綠竹蔭青池舒華匝長阪好鳥鳴喬枝霏霏慶雲動靡靡祥風吹谷虛流鳳管野綠映丹甍帷宮設壓外帳殿臨郊垂俯同南風作斯文艮在斯伊臣限監國卽事阻陪隨顧惟實庸菲沖薄竟奚施至理徒興羡終然類管窺上聖艮善誘下愚慚不移

登鍾山燕集望西靜壇　梁吳均

客思何以緩春郊滿初律高車陸離至駿騎差池出寶棳汎蓮花珍杯食竹實才勝商山四文高竹林七復望子喬

壇金綳蘊綠帙風雲生屋宇芝英被仙室方隨鳳凰去悠
然駕白日

和從駕登雲居寺塔　北周庾信

重巒千仞塔危磴九層臺石關恒逆上山梁乍廻堦下
雲峯出窻前風洞開隔嶺鐘聲度中天梵響來平時欣侍
從於此暫徘徊

遊鍾山明慶寺悵然懷古　北周姚察

廣弘明集云陳姚察遇見蕭祭酒書明慶寺
禪房詩覽之愴然憶此寺仍用蕭韻述懷

地靈居五淨山幽寂四禪月宮臨鏡石花讚繞峯遺霞蹕
闇旛影雲氣合爐煙廻松高偃蓋水瀑細分泉含風萬籟

響長露百花鮮宿昔尋真趣結友亟留連山庭出蘿薜澗止濯潺湲因斯事熏習便得息攀緣何言遂雲雨懷此悵悠然徒有南登望會逐東流旋

明慶寺石壁　陳王褒

夏水懸臺際秋泉帶雨餘石生銘字長山久谷神虛

雲居寺高頂　陳王褒

中峯雲已合絕頂日猶晴邑居隨望近風煙對眼生

鍾山明慶寺　陳江總

十五詩書月六十軒冕年名山極歷覽勝地殊留連幽崖聳絕壁洞穴瀉飛泉金河知證果石室乃安禪夜梵聞三

界朝香徹九天山階步皎月澗戶聽涼蟬市朝雲草露淮海作桑田何言望鍾嶺更復切秦川

同庾肩吾游明慶寺　陳沈炯

鷲嶺三層塔菴園一講堂馴烏逐飯磬狎獸繞禪牀摘菊山無酒燃松夜有香幸得同高勝於此瑩心王

鍾山道林寺　陳徐伯陽

聊追鄴城友躧步出蘭宫法侶殊人世天花異俗中烏聲不測處松吟未覺風此時超愛網還復洗塵蒙

遊雲居寺贈穆三十六地主　唐白居易

亂峯深處雲居路共蹋花行獨惜春勝地本來無定主大

都山屬愛山人

留題愛敬寺　南唐李建勳

野性竟未改何以居朝廷空爲百官首但愛千峯青南風新雨後與客攜觴行斜陽惜歸去萬壑啼鳥聲

鍾山道林寺　南唐李建勳

雖向鍾峯數寺連就中奇勝出其間不教幽樹妨閑地別着高牕向遠山蓮沼水從雙澗入客堂僧自九華還無因得結香燈社空向王門玷玉班

題道林　南唐李中

宿投林下寺中夜覺神清磬罷僧初定山空月又生籠燈

吐冷豔岩樹起寒聲待曉紅塵裏依前冒遠程

鍾山秀峯院　宋梅摯

影共金田潤香隨碧月流遠疑元帝植近想寶公遊

鍾山講經臺　宋釋至慧

自是虛空講得休蕭蕭林下冷寒秋至今岩畔多頑石似對春風一點頭

宿雪峯菴　宋釋大訢

雪深麋鹿無行跡雪臥樵蹤何處笛老禪騎虎不驚人猿拾蒼苔掛高石

道光泉　宋王安石

[illegible]龍將雨繞山行注遠投深靜有聲雲涌浴槽朝自暖虹垂齋鑊午還晴銅瓶各滿幽人意玉甃因高正士名神力可嗟妨智巧桔槔零落簸苔生

玉澗　宋王安石

澗水無聲遶竹流竹西草木弄春柔茅簷相對坐終日一鳥一鳴山更幽

過故居在半山元豐末捨爲寺　宋王安石

泝楲開新屋扶輿遶故園事遺心獨寄路翳目空存野果寒林寂蠻花午簟溫渾忘舊時事欲宿愧桑門

定林院昭文齋米芾題余定林所居因作　宋王安石

我自中山客何緣有此名當緣琴不鼓人不見虧成

悟眞院　宋王安石

野水從横漱屋除午牕殘夢鳥相呼春風日日吹香草山北山南路欲無

半山春晚卽事　宋王安石

春風取花去酬我以清陰翳翳陂路靜交園屋深牀敷每小息杖屨或幽尋惟有北山鳥經過遺好音

暮春與諸同僚登鍾山望牛首　宋蘇頌

清明天氣和江南春色濃風物正繁富邦人競遊從官曹卒多暇交朋偶相逢并驅出東郊乘興遊北鍾陟險不蹶

展扶危靡楮節上登道林祠俯覩辟支峯亂山次阡陌長江遶提封蕭條舊井邑茂盛新杉松攬物思浩然懷古心顒顒念昔全盛時茲山衆之宗天都對雙闕覇業基盤龍六朝遞興廢百祀居要衝人情屢改易世事紛交攻當時佳麗地一旦空遺蹤惟有出岫雲古今無變容

飲鍾山一人泉因賦　宋釋覺範

鍾山對吾戶春曉開煙鬟白雲峯頂泉紺碧生微瀾經年未一酌對客愧在顏兩翁亦超放瘦策容躋攀大千寄一瞬境靜情亦閑是時天慘淡佳處多遺刪立談共嘲謔豪氣破天慳臨川氷玉清風流繼東山茲游適所願但恨無

[illegible]巒東陽丘壑姿癡絕膽亦頑孤坐巉絕處掉頭不肯還
天風吹笑語響落千巖間歸來數清境但覺毛骨寒從君
乞秀句端爲刻斕斑

初夏訪定巖禪寺　明姚廣孝

蕭寺鎖煙蘿遊人雜珮珂半山紅艷盡一塢綠陰多探勝
時應到乘閑暮亦過禪翁深阻道誰解問如何

金陵梵刹志　大靈谷寺　三卷　八十

棲霞寺左景
龍山
凌大德畫
劉希賢刻

石佛
千佛岩
紗帽峰
明月臺
白乳泉
品外泉
方丈
公庫司
禪堂
藏經殿
大雄寶殿
祖師殿
伽藍殿
天王殿
禪亭
白蓮池
棲霞寺
地藏殿
彌勒殿

攝山頂
飲馬閘
泉
靜室
靜室
天開岩
碑
圓通禪院
濟生臺
般若堂
泉
泉
珠泉
清歡堂
虎山

棲霞寺右景
長江
田
河

金陵梵刹志卷四

次大刹 攝山棲霞寺 古刹 欽賜

在都城東北南去所統靈谷寺三十里太平門四十里東城地齊永明七年明僧紹捨宅法度禪師建寺隋文帝琢白石爲塔眞舍利唐高祖改功德寺高宗改隱君棲霞寺武宗會昌中廢宣宗大中五年重建改妙因寺宋太平興國五年改普雲寺景德五年改棲霞禪寺元祐八年改嚴因崇報禪院又爲景德棲霞寺虎穴寺洪武二十五年仍 賜額棲霞寺寺在攝山一名繖山有中峰屹然卓立迤邐南下左右山環抱如拱入山繁陰

覆路君別一洞天者陳江總持及唐高宗碑尚完天王大雄法堂諸殿相承而入棲於中峰之麓禪堂近徙法堂後其左爲方丈公塾庫司及隋舍利塔塔之前以伏道引中峰澗水從石蓮孔中濆出爲品外泉倚山有石佛千身金碧絢爛爲千佛岩紗帽峰明月臺即其處循中峰澗而上有白鹿泉出石隙方廣僅數尺清澈可鑑禪堂右新設遊憇之所曰清歡堂堂後循山隙而入有泉曰真珠有岩如浪曰疊浪再上爲圓通禪院人天小構梵唄松濤時與禪堂賡應又上爲天開岩陡絕甚奇此一帶在中峰之右虛谷深隴僧寮倚山架壁各擅其

勝上至中峰頂下視大江曳若縞練幽深隱奥者忽焉而閲覽八荒矣所領小刹曰衡陽寺即慈寺下院

殿堂　山門洞門壹座　天王殿叁楹　正佛殿伍楹　法堂殿伍楹　伽藍殿叁楹　祖師殿叁楹　方丈庫司壹所拾貳楹　公學壹所叁楹　清歡堂壹所拾肆楹　般若堂叁楹　僧院叁拾壹房食糧牒僧柒拾名食糧學僧叁拾名　寺基壹百貳拾畝東至蔣家巷西至本寺官街南至金石岡北至攝山官路

禪堂　大門壹楹　大禪堂伍楹　二禪堂叁楹　十方堂叁楹　涅槃堂拾貳楹　齋堂叁楹　靜室叁楹樓壹楹　內倉庫廚茶等房共拾叁楹

圓通禪院　韋馱殿叁楹　門房　碑亭肆楹　觀音殿叁楹　禪堂陸楹　華嚴樓叁楹　淨土樓叁楹　十方堂叁楹　齋堂陸楹　養老堂叁楹　延

壽堂叁楹 靜室廳房陸楹 厨庫倉茶等房共貳拾柒楹

公產

黃城木蘆等圩丈過實在田地山塘共壹千肆百柒拾肆畝

禪堂

攝山圩併施捨丈過實在田地塘共叁百玖拾肆畝肆分捌厘

圓通禪院

施捨田地丈過實在田地山塘共伍百伍拾畝貳分陸厘

山水

攝山高三百丈周四十里山多藥草可以攝生故名形圓如盖又名繖山有明僧紹高越扈謙墓菩提王廟郎攝山神靳尚受度師戒祀去牲醴宋靖康間劉光世敗兀术於黃天蕩兀术奔攝山仍鑿河宵遁今竹條港名敗軍河

中峰

中峰澗自白雲菴而上數十步有石壁大篆書試茶亭白乳泉六字

千佛巖有千佛巖棲霞山六大字宋游九言書

紗帽峰自中峰下亂石嶔岈其色蒼黑人稱疊浪巖巖盡處一方龕四面皆可上上復一小洞內鑿佛石鐫中有松

明月臺紗帽峰前一平石

白鹿泉中峰下山中水涸居民逐白鹿至此得泉

品外泉

一名白雲泉出中峰澗入伏槽由地中行至**東峰**石塔前滙爲池中刻石蓮泉自蓮中濆出

西峰

天開巖 西嶺上下若無路者近削之亂石縱橫中有路高下盤折一大壁奇峭如截上書天開巖三字久爲土壅近僧慧能始出之有沈傳師徐鉉徐鍇祖無擇張稚圭王雱題名今巖下有曲碑石刻

醒石 二字不知何人所題橫書大可四五寸

迎賢石 三字在天開巖後大可二三寸

石房 二字題迎賢石旁名姓無考

唐公巖 在祖無擇題名石之下其四旁鐫刻多不可辨

落星山 山有落星墩墩舊有樓吳都賦云亭戎旅于落星之樓卽今寺北清歡堂之側

虎洞

珍珠泉 在般若菴前 以上俱存

古蹟

大石佛 明僧紹子臨沂令仲璋琢高四丈左右琢觀音勢至各高三丈佛頂上有玻璃珠光彩射人後墜地因置閣盛之大觀中爲權要取去一夕權要夢人索珠甚力俄失珠所在米芾嘗作詩紀其事見逸史六朝事迹

千佛 齊文惠太子竟陵王豫章王田奐與及宋江夏王霍姬等就石琢像千

尊名千佛巖

舍利塔高七級在無量壽佛之右隋文帝造高數丈五級雕琢極工南唐高越林仁肇復建塔

接引二佛在石塔前隋時造像貌衣縷有顧愷之筆法

古佛不知何年物掘地得之

白雲菴即明僧紹宅遺址宋侍郎張瓌讀書處有王安國記今僧廬其上

凌虛室攝山半道中有亭可攬江山之勝

法鐘太始中自鳴明嘉靖辛酉十月十八日夜自鳴

般若菴舊菴已廢今重建佛座上有石刻四十二張經

石壁軒天開巖側唐人石刻磨滅不詳

翠微菴在大佛龕左巖石環職最邃幽勝

濟生臺觀音菴旁

銀杏樹有二在大殿前可四五抱蒼蔚奇古是前朝物其一結乳如石筍下垂相傳樹千年始生

禹碑大禹治水成功書此碑于南岳衡山石刻久傳于世楊公時喬官南納言時慮去古遠而碑刻之傳易以磨沒乃重刻而爲之記在攝山天開巖因與寺無涉其文不載附入古蹟以備考　以上俱存

二幢一爲唐咸通九年戊子一爲南唐保大六年戊申所書呪多磨滅今廢

馴虎徑四虎隨僧晉聰渡江

入寺止塔西囷名見後智聰傳　**遺璽**侯景敗子臨走江東攜往迨以傳國璽投入棲霞寺僧永拾得獻永定三年永歿其徒普智獻後主　**妙因寺額**徐鉉書　**來賓亭**郎徐鉉宅盛園池在寺東北宋廸詩云結交意在來賓者誰慕清風爲住留謂此徐鍇宅在山前嘗開茶肆延四方賓旅　**金寶方牌**宋仁宗賜熙寧間取寄華藏寺　以上俱廢

人物

齊　大明法師好談論手執松枝爲譚栝見宋景文鷄蹠集　**法度**有傳略

陳　智顗有傳略　**法響**有傳略　**慧峰**住棲霞寺聽詮公三論深悟其旨遊心正理攝靜松林有問云今學大乘如何講律峰云此致非汝所知豈學正法而大小相乖乎

隋　慧侶有傳略　**保恭**有傳略　**慧覺**止攝山棲霞寺義解弘通廣興釋論　**元崇**有傳略　**智聰**有傳略　**慧曠**素協性松筠輔神泉石於棲霞法堂敷大論　**僧瑋**器量沉深風神詳雅服以弊衣

資以萊食致使口腹之素漸以石帆水松寒暑之資

稍以荷衣蕙帶故得結操貞于玉石清風拂于烟霞

入攝山棲霞寺學觀息想

唐大德玭律師有碑略

附紹講棲覽齊明僧紹傳有碑

梁蕭眎素蘭陵人於攝山築室徵爲中書侍郎不就謚貞文先生

陳江總自序云總弱歲歸心釋教受菩薩戒暮齒官陳與攝山布上人遊款深悟苦空更復練戒

文

攝山棲霞寺碑銘　梁元帝

金池無底巳通寶壍之側玉樹生風傍臨綵船之上七重欄楯七寶蓮花通風承露含香暎日銘曰若依翠屋樹隱丹楹澗浮山影山傳澗聲風來露歌日度霞輕三灾不毀得一而貞

攝山棲霞寺碑銘　陳侍中尚書令江總持

陳李霈書

宋賜金紫沙門懷則重書

蓋聞天有神宫地云靈府爰欽傳記始叙四衢之塔金朔著經因知千步之寺至如峰形䮴累岫勢堂密亦烏足言哉南徐州瑯琊郡江乘縣界有攝山者其狀似繖亦名繖山尹先生記曰山多草藥可以攝養故以攝爲名焉南瞻舊落顧悕鎮戍之塢北望荒村扈謙卜筮之宅此山西南隅有外道館地俄而疫癘磨滅三清遺法未明五怖之災淵深至理高妙遺榮軒冕遁跡巖穴宋泰始中嘗遊此山萬善開宗遂變四禪之境倏見齊居士平原明僧紹空解仍有終焉之志村民野老競來諫曰山多狼虎毒虵所以久絶行践僧紹曰毒中之毒無過三毒忠信可蹈水火猛

獸亦何能爲乃刋木駕峰薙草開逕披拂蓁梗結構茅茨廿許年不事人世渡河息暴擾篋無立皆曰誠至所感有法度禪師家本黃龍來遊白社梵行殫苦法性純備與僧紹宜契甚善嘗於山舍講無量壽經中夜忽見金光照室光中如有臺館形像豈止一念之閒人王照其香蓋八未曾有淵石朗其夜室居士遂捨本宅欲成此寺即齊永明七年正月三日度上人之所構也山情率易野製疎朴崖檐峻絕澗戶幽深卉木滋榮四時助其彫綺煙霞舒卷五色成其藻絢居士嘗夢此巖有如來光彩又因閒居依稀目見昔寶海梵志睡覩花臺智猛比丘行逢影窟故知神

應非遠靈相斯在居士有懷創造俄而物故其第二子仲璋爲臨沂令克荷先業莊嚴龕像首於西峰石壁與度禪師鐫造無量壽佛坐身三丈一尺五寸通座四丈并二菩薩倚高三丈三寸若乃圖寫瓌奇刻削宏壯蓮花瑩目石鏡沉暉藕絲縈髮雲崖失彩項日流影東方韜其大明西月馳光西照匿其成晃大同二年龕頂放光光色身相晃若炎山林間樹下赩如火殿禪師自識終期欣瞻瑞應以建武四年於此寺順寂豈非六和精進十念名諧向沐寶池方登金地者也齊文惠太子豫章文獻王竟陵文宣始安王等慧心開發信力明悟各捨泉貝共成福業宋太宰

江夏王霍姬蕃閨内德齊雍州刺史田奐方牧貴臣深曉
正見妙識來果並於此巖阿廣抽財施琢磨巨石影擬法
身梁太尉臨川靖慧王道契真如心弘檀蜜見此山製置
疎濶功用稀少以天監十年八月爰撤帑藏復加瑩飾績
以丹青鏤之銑鋈五分照發千輪敵煥排天堂廡玉露分
色接岫軒墀翠微抽影八定之侶步纖草而揚梵三慧之
僧挹飛泉而動色喜園凝靜豈傲吏之凡遊深谷虚玄非
愚公之俗路是以王公縉紳之輩郎吏胥史之屬步林壑
陟臯壤升精舍拜道場莫不洗滌無明澣濯貫暗非直心
之砥路孰能如斯者乎慧振法師志業該練心力精確度

上人將就遷神深相付囑法師聿修厥緒勸助衆功基業田園多所創置先有名德僧朗法師者去鄉遼水問道京華清規挺出碩學精詣早成波若之性夙植尸羅之本闡方等之指歸弘中道之宗致北山之北南山之南不遊皇都將涉三紀梁武皇帝能行四等善悟三空以法師累降徵書確乎不拔天監十一年帝乃遣中寺釋僧懷靈根寺釋慧令等十僧詣山諮受三論大義賞詣曰學聖道如日之明孫卿云登高山知天之峻令之探賾其此之謂南蘭陵蕭脩幽棲抗志獨法絶群道世茲山多歷年所臨終遺言葬法師墓側還符田豫託西門之冢更似梁鴻偶要離

之瘞又按神錄云楚靳神在今臨沂縣齊永明初神詣法度道人受戒自通曰靳尚卽楚大夫之靈也大同元年二月五日神又見形着菩薩巾披袈裟閑雅甚都來入禪堂請寺衆說法崑嶺之中百神所在首陽之路八駟並驅未有修淨戒之品詣得道之僧整忍辱之衣入安禪之室是知名山大澤靈異憑依者矣慧布法師幼落煩惱早出塵勞律儀明白貞節峻遠貫綜三乘不自媒衒楷模七衆無所詆訶曩曰靜懃鍾巖余便覲止飡仁飲德十有餘年頃於攝阜受持珠戒佩服之敬雖敢怠於斯須汲引之勞且曷伸於報効夫言意難盡鉛槧易凋固比河山莫如金石

凡諸徵應并頌隨喜並勒於碑左乃爲頌曰漫漫心火寘寘世流論生若寄蝓炊如休三明未了十智難周盡纒癡愛豈離瘡疣敬仰雞足恭聞鷲頭斯風可羡其路何由我開梵宇面壑臨丘我圖靈跡果植因修蕪金畫繪沕石彫鎪蓮雲出没泄雨沉浮經行松磴禪坐蕙樓澗風長瀉崖溜懸抽花臺似雪夏室疑秋名僧宴息勝侶薰修三乘謂筏六度爲舟金幢合蓋寶駕驅軿地祇來格天衆追遊五時無爽七處相侔辭題翠琰字勒銀鈎賢乎樂餌過客宜留此碑經唐會昌毁廢後已曾重立至今其石斷缺文字訛隱寺主僧契先購石依本寫之　康定元年三月十七日鐫立

立舍利塔詔　隋文帝

門下仰惟正覺大慈大悲救護群生津梁庶品朕皈依三寶重興聖教思與四海之内一切人民俱發菩提共修福業使當今現在爰及來世永作善因同登玅果宜請沙門三十人諳解法相兼堪宣導者各將侍者一人并散官各一人薰陸香一百二十斤馬五疋分道送舍利先往蔣州棲霞寺洎三十州次五十三州等寺起塔其洼未寺者就有山水寺所起塔依前舊無山者於當州内清淨寺處建立其塔所司依樣送往當州僧多者三百六十人其次二百四十人其次一百二十人若僧少者盡皆僧爲朕皇后

太子廣諸王子孫等及内外官人一切民庶幽顯生靈各七日行道并懺悔起行道日打剎莫問同州異州任人布施錢限止十文已下不得過十文所施之錢以供營塔若少不充役正丁及用庫物率土諸州普爲舍利設齋限十月十五日午時同入石函總管刺史已下縣尉已上自非軍機停常務七日專檢行道及打剎等事務盡誠敬副朕意焉王者施行仁壽元年六月十三日内史令豫章王臣暕宣

舍利感應記

隋著作郎王劭

皇帝昔在潛龍有婆羅門沙門詣宅出舍利一裹曰檀越

好心故留與供養沙門既去求之不知所在其後皇帝與沙門曇遷各置舍利於掌而數之或少或多並不能定曇遷曰曾聞婆羅說法身過於數量非世間所測於是作七寶箱以置之神尼智僊言曰佛法將滅一切神明今已西去兒當爲普天慈父重興佛法一切神明還來其後周氏果滅佛法隋室受命果復興之皇帝每以神尼爲言云我興由佛故於天下舍利塔內各作神尼之像焉皇帝皇后於京師法界尼寺造連基浮圖以報舊願其下安置舍利開皇十五年季秋之夜有神光自基而上右繞露槃赫若冶鑪之燄一旬內四如之皇帝以仁壽元年六月十三日

御仁壽宮之仁壽殿本降生之日也歲歲於此日深心永念修營福善追報父母之恩故延諸大德沙門與論至道將於海內諸州選高爽清靜三十處各起舍利塔皇帝於是親以七寶箱奉三十舍利自內而出置於御座之案與諸沙門燒香禮拜願弟子常以正法護持三寶救度一切衆生乃取金餅瑠璃各三十以瑠璃盛金餅置舍利於其內薰陸香爲泥塗其蓋而印之三十州同刻十月十五日正午入於銅函石函一時起塔諸沙門各以精舍奉舍利而行初入州境先令家家灑掃覆諸穢惡道俗士女傾城遠迎總管刺史諸官夾路步引四部大衆容儀齋肅共以

寶蓋旛幢華臺像輦佛帳佛輿香山香鉢種種音樂盡來供養各執香華或燒或散圍繞贊唄梵音和雅依阿含經舍利入拘尸那城法遠近翕然雲蒸霧會雖盲聾老病莫不匍匐而至焉沙門對大衆作是唱言至尊以菩薩大慈無邊無際哀愍衆生切於骨髓是故分布舍利與天下同作善因又引經文種種方便訶責之教導之深至懇切涕零如雨大衆一心合掌右膝着地沙門乃宣讀懺悔文曰菩薩戒弟子皇帝某敬白十方三世一切諸佛一切諸法一切賢聖僧弟子蒙三寶福祐爲蒼生君父思與一切民庶共建菩提今欲分布舍利諸州起塔欲使普修善業同

登妙果爲弟子及皇后皇太子廣諸王子孫等内外官人一切法界幽顯生靈三途八難懺悔行道奉請十方常住諸佛十二部經甚深法藏諸尊菩薩一切賢聖願起慈悲受弟子等請降赴道場證明弟子爲一切衆生發露無始以來所作十種惡業自作教它見作隨喜是罪因緣墮於地獄畜生餓鬼若生人間短壽多病卑賤貧窮邪見諂曲煩惱妄想未能自寤今蒙慈光照及於彼衆罪方始覺知深心慚愧怖畏無巳於三寶前發露懺悔承佛慧日願悉消除自從今身乃至成佛願不更作此等諸罪大衆既聞是言甚悲甚喜甚愧甚懼銘其心刻其骨投財賄衣物及

截髮以施者不可勝數日日共設大齋禮懺受戒請從今已往修善斷惡生生世世常得作大隋臣子無問長幼華夷咸發此誓雖屠獵殘賊之人亦躬念善舍利將入函大衆圍繞塡闉沙門高捧寶缾巡示四部人人拭目諦視共覩光明哀戀號泣聲響如雷天地爲之變動凡是安置處悉皆如之其身已應靈塔常存天下瞻仰歸依福田益而無窮皇帝以起塔之旦在大興宮之大興殿庭西面執珪而立延請佛像及沙門三伯六十七人幡蓋香華讚唄音樂自大興善寺來居殿堂皇帝燒香禮拜降御東廊親率文武百僚素食齋戒是時內宮東宮逮於京邑茫茫萬宇

舁車所通一切眷屬人民莫不奉行聖法衆僧初入勅使左右密夾數之自顯陽門及升階凡數三遍常剩一人皇帝見一異僧曷槃覆髆以語左右曰莫驚動它置爾去已重數之曷槃覆髆者果不復見舍利之將行也皇帝曰今佛法重興必有感應其後處處表奏皆如所言蔣州於棲霞寺起塔隣人先夢佛從西北來寶蓋幡花映滿寺衆悉執花香出迎及舍利至如所夢焉餘州若此顯應加以放光靈瑞類蓋多矣

蔣州棲霞寺請疏　隋釋保恭

竊以瞻慕名德夙管屢遷展覿以來炎涼再隔伏飡至法

用禀教門定水澹而無涯詢峰高而不極至於止觀方等之儀龍樹馬鳴之文莫不殫其理窟究其冲紗恭雖不敏少遊講席窺翫南北經論法師三十餘年求其奥旨不悟觀諸法海寄在餘生方冀傾蠡猶飽腹然道安之遇澄上人便稱北面惠永之逢遠上首即創東林是知得奉勝因須安勝地者也恭雖疎薄竊欽往彥但所居棲霞寺宋代明徵君之所建立也鐫山現像疏巖敞殿似若飛來無慙湧出若其林泉爽麗房宇縈紆桂嶺春芳雲窗晝斂自昔高行是用遊焉故恭等齋誠請延威德惟願歡騰曩哲爰降彼居依經受用必垂納處所有田園基業具在別條謹

共開士栁顧言證成斯誓庶金剛之城與鷲嶺而長存法寳斯傳等雞山而不滅謹疏　開皇十五年八月六日

攝山棲霞寺新路記　南唐兵部員外郎徐鉉

棲霞寺山水勝絶景象瓌竒明徵君故宅在焉江令公舊碑詳矣高宗大帝刋聖藻於貞石紆宸翰於璿題煥乎天光被此幽谷先是兹山之距都也五十里而遥方軌並驅崇朝可至及中原　亂多壘在郊野無牧馬之童岐有亡羊之僕義祖武皇帝潛龍兹邑訪道來游始有司是作新路金椎既隱王馱言還桐山之駕不追囲中之道亦廢於戲聖人遺迹必將不泯微禹之歎夫何遠哉保大辛亥歲

時安歲豐，政簡民暇。粤有寺僧道嚴，名高白足，動恩利人；百姓莊思悰，家擅素封，積而能散。嗟亭候之不復，閔行旅之多艱，乃相與翦荊榛，疏坎窞，闢通衢之夷直，棄邪徑之迂廻，建高亭於道周，跨重橋於川上，鑿甘井以救暍，立名表以指迷。草樹風煙，依然四望；峰巒臺榭，肅肅前瞻。是由江乘之塗，復識王畿之制矣。余職事多暇，屢游此山，喜直道之攸遵，嘉二叟之不懈，爲刻石用紀成功。俾後之好事者以時開通，隨壞完葺，此碣有泐，斯文未湮，不亦美乎！

其年八月一日兵部員外郎知制誥徐鉉記

重修攝山棲霞寺碑銘　明南大理卿沔陽陳文燭

佛像入中國漢與白馬之名禪教顯西方晉建青龍之號然界標無色始曰化城即天名非想猶稱火宅苟非五明四忍拯淪溺於長眠何以三障六塵放昏霾於大覺此精進道場所由刱豎而微密秘藏於以闡揚者也棲霞寺者齊居士明君承烈含和隱璞乘道匿輝徵聘之禮賁於巖穴玉帛之贄委於室衡卷跡囂氛之表抗志穹窿之上大辟寢巢而虎害自遠同郭文之潛驅臨菑偕隱而龍步益高期張緒之締合遂來寘契之法度禪師日講藏經之無量壽佛祥光照室時呈旛蓋之形妙伎騰搖每作法鐘之響設榻於伯氏則孺子猶存備刺於門徒則靳尚頻見信

是外臣同方囲之七友還如勝侶齊法紹之二聖妙莊嚴路有藥王之尊山多藥因以攝名兼諸漏國有寶蓋之覆山如蓋廼以繖狀猶聚日之映寶山等滿月之臨滄海故朝野餐風以駢集緇素服道而響臻猗歟盛哉我　太祖高皇帝之定天下始膺乾紀卽屬皇畿以克定之初崇因果之重復祖　賜額託銀榜以樹緣繕宇度僧假金輪而啟物籍妙因於永刼超勝果於兹地方斯時也庶乎人免蓋纏家登仁壽矣未幾善勝崩淪以致禪宮銷歇寶地鞠爲蓁蕪金容毀於風雨遂使衛城之聽擠於矍圃之觀嘉靖間鴻臚鄭公曉太常錢公邦彦京兆扈公永通翰林何

公良俊祠部何公良傳博覽五明名依三畏雅好同於玄度篤尚並於彥深不嚴心以爲淨是爲歸其淨矣不趨寂以爲眞是爲會其眞矣倚雙樹樹雖無影睇千花花則常敷廼得天界僧興善俾之住山委以興復篳輅藍褸啟覺水之塞源慈悲經行煦群迷於未曉於時則講僧眞節禪侶法會福懋諸賢或振錫以闡教或棲林以綜業深文奧義將法鼓而同宣慧日智煙隨梵音而共遠然草萊僅剪堂廡未闢納諸天於丈室雖假神通藏芥子以須彌毋寧趍趄蓋興善嘗有志於恢拓而當事者縻之僧錄覺義以去代興善者是爲清栢禪師神解獨脫機鑒絕倫通四辨

之音開五乘之跡寘懷宗極輗萬行之纇綱畢志寘樞維二諦之絶紐更有明通出納加之如敬糾緣於時太宰陸公光祖司寇王公世貞蓄靈因於上葉感慧性於閻浮爭捐泉貝競施榱櫨破彼慳囊就斯妙植流銀而成寶殿何翅翬騫甃玉以搆祇桓還同鷲峙託妙相於丹青寄靈像於銑鋈晨光未闢鐘磬先聞霄漏既分梵唄未輟觸情於境盡是栴檀林中納境於心俱爲薝蔔席上疊浪之巘廻碧障恍聽海潮之音中峰之澗瀉清濤更瞻地湧之塔此繖如大法幢此霞如丹臒殿將寶綱於恒河三利期興生金花於火宅二梵爲福珠澤量墨不足以揚空偈瑆洲聚

筆詎能以悉斷言敢效鏤文勒諸貞石其辭曰 金陵方地緊雲陽氏東俯京邑上延江涘天闕椎開[illegible][illegible][illegible]起[illegible]陟琳宮如按樹坪惟齊徵君畱心勝業六度是[illegible]起乎界刼霞迴身棲欒士名攝度師深心證明殊切江河變幻殿宇重新地曰首善寺曰能仁風搖碧聳日護紅輪金粟戾止涉此玄津倬彼名區禪慧攸託傍據高岩臨睨萬壑江陳豐碑文章丹雘膴膴亭皐幽幽林薄象設既闢睟容始安卷言靈宇冬燠夏寒潄流枕石足稱大觀高僧說法同於懶殘直接上根邁通玄鑰震旦煇煌宏規高犖入海禪流增其式廓感則宜機寂則真覺曾聞國璽傳自始皇地

藏祕物若存若亡璃珠佛頂時動精芒堂名定慧壁放明光掩室無塵長生有樂三界遂荒大千牢落片石韓陵俟後繩削因瀰恒沙果登極樂　萬曆辛卯夏日

重建棲霞寺天王殿記　明吏部尚書平湖陸光祖

夫思漁照乘必驚丹泉欲握連城當開藍谷未見種黍而獲秫豈有無因而得福者哉是以檀施居六度之先慳悋爲十纏之最況乎莊嚴佛土豈可少有惜心昔給獨布金現宮闕于天上澄空寫像擁旄節于後身稽之往牒信而有徵世儒昧于遠理曰豈其然可不哀乎攝山棲霞寺者江表名區　帝州佳麗控長江于山麓鐃千佛于巉扃峰

類飛來相疑湧出逾錦城而特建掩銀界而孤標實禪誦之勝場而登臨之佳處也締創自齊梁而來流傳蓋千有餘載時維洪武載錫嘉名又　詔賜贍僧田山壹千叁百餘畝視天界靈谷為比翼焉顧成化之後日就湮没洎嘉靖之初幾為墟矣幸而地以人靈事因時起赤髭白足之侶披荆棘而安禪子墨客卿之徒薙草萊而結社又得前住持興善主之頹基再開墮緒少復余前為祠部曾結白鹿之菴繼掌容臺復作勸緣之疏既而銓衡南部再訪北山則寶殿煇煌幾復鷲峰之盛金容赫奕如瞻瑞月之光倐敗舊觀頓驚新製既而訊之廼今住山清柏淨苑芝蘭

叢林龍象律儀嚴淨梵行堅明說戒而山神敬受演法而四衆咸歸自任兹山誓心弘造又得講師眞節大闡方廣之宗如敬明通共協中興之力以故財施雲集鏹貨泉流競勸深於子來落成速於不日然揆厥終始則典客倪敏之力居多而天王之殿五楹又其所獨成焉倪君者雲間甲族秣陵善人背擅素封心專白業栽基福地慕明徵君之遺風輦貨波臣有龐居士之雅度而於兹寺特重夙緣搆造既勤藻飾亦至旛幢紛其縹緲廊廡閴其靚深天王之宮殿卓爾排雲無量之金容宛如聚日洪鐘振響眢聲徹幽冥丹艧成文光騰霄漢上下勞心逾十一載先後約費

幾二千金噫倪君之心亦誠矣功不朽矣昔佛談因果如影隨形況彌陀爲此方之導師四王司部洲之考校爲善之報豈其爽乎然則成佛非遥無慮生天恐後矣雖然人生有涯世財非實兹山之成者什九虧者什一欲就爲山之功豈辭覆簣之力君其益勵乃心成斯善果務使盡善而盡美庶幾有始而有終嗟夫卽祥基而締祥業爲不朽就福宇而延福功豈唐捐以曠劫之良因開含生之至慶豈非佛日賴之重輝而 皇圖所由永固者哉君其勗之余雖老矣及見其成猶能爲君頌之 萬曆壬辰九月

棲霞般若堂記

明兵部侍郎新都汪道昆

齊徵君明僧紹供法度禪師居攝山太始中徵君以其舍爲棲霞寺由唐而下累朝遞崇事之歙沙門慧光故受聖僧衣鉢諸學士大夫入歙王慧光既而閱藏金陵築舍棲霞寺歙處士王寅傳雅人也善慧光處士嘗登錢塘浮屠見宋人手摹四十二章經勒浮屠上則以有宋叔世諸顯者不皆聞人猶知從事遺經埀於不朽吾黨獨當明盛未遑之謂何棲霞寺故有般若堂葢智曠禪師所建廢久矣處士爲慧光畫策復般若堂堂中築說經臺廣若干尋高若干尺求遺經善本謁諸名士書各一章勒石四面以封如宋人法堂左右分饗首事者明徵君法度禪師在焉歲

甲子慧光周游長者閭嶋工程材諏日興事事既集紹介處士謁道昆記之道昆以儒發家何知内典彼言般若者何慧光進曰道一而已矣儒者往往紬釋氏豈不相謀往慧光居歙時聞諸學士大夫講東越之學率有味乎其言夫高下散殊莫良於日感通天下莫良於知何以故以明故也天地向晦一何宜其出暘谷而升扶桑色斯辨矣及其中天也明照四表察見九淵既薄崦嵫而西其宜如故耳芸芸萬物消息有常暘谷不生崦嵫不没明暗通塞則日之由夫人之知亦若此矣吾致吾知先登於岸則般若之云也遺經四十二章爲西來第一義善言般若其在斯

乎嗟乎東越以良知鳴則象山爲之嚆矢象山持論得東越而始張皇要其初般若先得之矣自釋氏入中國學道者率仇視之彼以薰蕕不同器而藏亦其甚也王者宅中而居奄有四海必也外夷賓荒服至而後中國始尊假令閉關絶之何示人以不廣如此道昆始聞般若之義有概於心遂次其言將以解瑕疵者之口處士聞而笑曰夸父逐日日不以其故而趣行魯陽揮戈日反三舍人力不可常勝絀釋氏者非也解釋氏者亦非也佛曰固自若耳道昆謂善因並載之乃若經費顛末及輸金者姓名則有司存不具載

攝山多寶塔銘有序

明兵部侍郎汪道昆　周天球書

太上慈寧宮母一人而君萬國於兹十有五稔德合無疆顧猶蒿目羣生將舉斯世而登極樂乃遣中使張本孟廷安周行寓内名山儻然遇衆中尊務求至道比丘真節故自楚入攝山躬自供衆講經餘三十年所務闡揚接引同證菩提嘗講法華經至見寶塔品空中現多寶塔一如經言四衆跂觀灑然希覯中使銜　命至禮之攝山虛往實歸得無所得乃出尚方金縷袈裟一襲宣　慈旨賜之既復建塔講臺之西以徵法象蓋自啟蟄而經始迄龍見而告成觀者若而人悉如疇昔所見畢使還報　太上之喜

可知於時草莽臣道昆為之銘以當半偈銘曰　帝德廣
淵并包三極在宥萬方得一以寧延於少廣聖善平康西
極化人回面內嚮咸集梯杭爰　命皇華出自中禁奕奕
貂璫悉屏候人無庸厨傳載橐餱糧躬歷莊嚴肆求耆宿
樞問堂皇　皇祖故都攝山東峙肇迹齊梁有美苾蒭披
緇杖錫至自襄陽敬爾威儀受茲戒律凛若秋霜爰卜一
區居然香積聚食有常虔事高譚金篦刮目擿埴無盲願
力兼持聖凡一指展也擅場真諦載揚浮屠乃見如翕斯
張亦既崇高亦既方廣亦既竟相有衆皈依中使涖止
慈命溥將載　錫罽衣黃金為縷千佛為章乃出　賜金

鳩工庀具莫不精良相彼招提西有淨界厥土騂剛橐鼓既興塼埴爲政翼翼鏘鏘五百由旬當百之一體具用蔵觚稜厲天有羽斯集是曰雁王清風穆如來自閶闔振鐸琳琅有衆堵觀巍巍　太上萬善津梁祚胤靈長百千萬億民物阜昌甸服舊臣會逢其適播告無央　萬曆丁亥日長至

南尚寶卿于若瀛集
晉右將軍王羲之書

棲霞寺五百阿羅漢畫記　明史官秣陵焦竑

居士吳彬字文仲者少產蒲田長遊建業眞文下燭懸少微之一星俊氣孤騫發大雲之五色既調詞翰兼綜繪素

團扇持而為特屏風點而成蠅高步一時無慙三絶萬曆辛丑時維仲夏與禪師釋僧定忘言契道寓目棲霞覩仁祠大修像設未備乃發弘願手繪阿羅漢施於精藍以五百軀盡千萬狀蓋起一念於熏修之上若拊四海於俛仰之間可謂福地之巨觀名都之勝跡者矣夫諸漏盡空具多神變解生死紲斷後有身者阿羅漢之眞宗也秉般若劒竪那延幢摧伏魔軍不戰而勝者阿羅漢之威力也虚谷含靈洪鍾待扣靡供不應有感必通者阿羅漢之福田也若此者咸承佛勅弘法利生或隱眞儀而同凡流或專一壑而横四極倘非緣會鮮能遇之居士釋秭苑之斧斤

建心王之旗鼓吮筆和墨範素鎔金移衆善於筆端貌羣形之雲變珠衣蔽於初地寶樹擁於香城迦陵欲飛曼陀未落經行宴坐知往來之盡泯語笑靜默總熾然而說法足使味真實者即嚴淨以觀空存相好者感丰神而遷善有求者植因以覬福懼苦者證業以弭災滌貪著於心胸開盲聾之耳目所謂生成之外別有陶冶言語之表曲爲調柔此無聲之導師亦何薄於畫史而或者猶謂空寂所忘方歸真諦法塵且具徑未入慧門豈知究竟達於無生因地從於有相畫且非實稽亦自如自非平等之觀一洗乎色空自在之心大通乎權實者其孰能與於此乎先是給

諫祝公世祿沉研二諦振耀三明以一遍一切之心護世出世間之法用能積累衆力助成勝因焚香讚歎散花瞻仰謂余常參支許之遊粗諳竺乾之語俾書貞石藏之名山乃說偈曰相因妄有妄盡相滅如風火輪流轉不息佛導群生種種相在曰色卽空等無有礙知相非相不離不卽孰曰神明粉繪不及我作佛事聊憑丹青悠悠法界畢意經營傍薰獲寤自性當成　萬曆壬寅春閏二月丁卯

棲霞寺五百阿羅漢畫記　明史官雲間董其昌併書

佛象教也畫佛觀也凡畫佛菩薩聲聞辟支阿羅漢者皆運心娑婆之外游意空刦之初淸虛固以日來塵勞於焉

鼓息矣及其神照既傳莊嚴斯在使瞻禮者發菩提心如
觀淨土變相必起往生想觀地獄變相必起脫離想觀大
士變相必起皈依想觀華嚴變相必起行願想原其薰鍊
之因豈異經禪之力哉梁唐之間耆宿宗師既振法於彼
而能妙畫史亦助道於此所謂寶刹現於豪端大千擲於
掌上庶幾似之蒲口吳彬居士者婆娑秇圃泛濫珠林翰
墨餘閒縱情繪事因游攝山見千佛嶺天監雕鐫森然海
會作而歎曰億千調御既分身矣五百應真何時放光乎
遂以丹青代彼金石施若干軸藏之此山值余南游請爲
助喜余發而觀之有貫休之古而黜其恠有公麟之緻而

削其煩可以傳矣雖然余更有進焉佛言一切衆生有如來智慧德相夫羅漢者豈異人哉衆生是也搬柴運水即是神通資生順產不違實相而畫羅漢者或躡空御風如飛行仙或渡海浮杯如大幻師或擲山移樹如大力鬼或降龍馴虎如金剛神是爲仙相幻相鬼相神相非羅漢相若見諸相非相者見羅漢矣見羅漢者其畫羅漢三昧與爲語居士而無以四果爲勝以衆生爲劣以前人爲眼以自己爲手作是觀者進於畫矣居士曰善哉　萬曆癸卯秋

繪施五百羅漢夢端記　明翰林院編修顧起元

日講官董其昌集

宋博士米芾書

文仲吳君八閩之高士也夙世詞客前身畫師飛文則萬象縮於毫端布景而千峰峙於穎上迺復經營八部槃礴五天尼連河畔模八十一相好之容洛迦山中寫二十五圓通之相顧長康之鳴剎觀者填門吳道玄之揮毫規於運肘以圖繪而作佛事者不知凡幾矣丙申春有比丘無借者爰自西川來參文室以五百大阿羅漢應真像丐文仲圖之將施名山永為法寶於時文仲默然未許僧遂留偈而去挾旬文仲假寐忽夢彼僧率衆禮佛文仲隨共瞻仰巳而大聲震地異羽瀰空亟與僧登臺而睇焉俱貺金

剛頻那夜迦之屬咸示殊形并陳詭狀文仲倉皇思避則有厲聲囑之曰必盡貌若等斯可歸矣文仲乃索筆而摹之俄有一卒持刀牒而至似欲薙文仲髮者文仲驚寤於是發心寫五百應真諸像因悉圖夢中所見以爲羽衛既成乃奉藏之攝山之棲霞焉祝給諫無功焦太史弱侯二先生既讃歎以助其成偈誦以宣其義矣文仲尤以法自心生緣從夢起疇昔之夢詎可無徵屬不佞記之客有聞而疑其幻者余應之曰不也夫夢有六義亦有四緣總其要歸想因具矣想逐根塵轂紛馳而靡息因由串習機潛搆而不停變化所宗真心一耳今人不悟意識之實體徒

殉夢覺之虛名守形開以爲真詆魂交而爲妄不知夢若果妄也則夢中之天地日月歷歷皆在何以判其非真覺若果真也則現前之昇沉榮辱在在成空何以定其非妄覺因夢有夢以覺名故夢之所徵覺中之影也覺之所憶夢中之境也當栩栩自適之時夢固不知其爲夢在茫茫無據之內覺亦何知其爲覺乎水入海以皆醎境歸心而自等庸詎知文仲之夢果爲幻境文仲之晝遂爲實相耶實既非實幻亦非幻然則帋上之色相雖工終恐寂若之形難覩蒲上之機緣偶接可謂優曇之華時現矣蓋文仲夙植勝因深存淨想故能冥通靈界默耦聖宗既協前期

終成善果不然漆園之蝶已化蕉隍之鹿轉非占夢者徒取笑於莊生說夢者益增嗤於鄭相矣文仲烏乎圖之不佞又烏乎頌之既以是語客因退而爲之記

修棲霞寺法堂短引　明南吏科給事豫章祝世祿

我觀金陵名勝在諸寺寺凡四百八十其最勝在棲霞原夫棲霞下瞰江流青山不斷地遠朝市紅塵不飛香火紛沓如報恩而岑寂過之金碧莊嚴如牛首而窈窕過之巖花作供野鳥說偈水月傳燈山君護法以故人代荐更羅刹如故徵君已去我輩還來人以境聖道以人弘蓋諸名藍不得與爭雄長焉爰有古堂名曰定慧幾年傾圮一木

難支總和上者念歬果之或隳懼後來之無托欲向孤峰宿難燒不夜之燈有自十方來莫爲結夏之宅慨發慈願悲渤丐予亦知本來不壞者非以明宗胡爲有事於修修者所以存教特弁數語徧告十方有財輸財有力輸力無財無力讚嘆輸心庾之粟囊之錢山之材陶之瓦隨喜布施不論奇贏在布施者捐一於百捐十於千物秖損乎毛髮在受布施者合百爲千合千爲萬功且等於丘山敢云度其慳貪所望發其惻怛於焉鳩工廢者以興於焉宅衆散者以聚亦使宰官長者酒客詩狂方術襍流勞人病子於焉經行於焉甜息於焉從頭貼業中之業於焉囬心恭

身外之身於焉涸慾海而隳愁城於焉決疑網而抱信毋雖人天有漏之因實茲山無量功德

攝山圓通精舍記

明兵部侍郎汪道昆　周天球書

襄故名郡產諸比丘攝故名山則比丘藪也高皇帝都建業辰攝山詔復寺僧田租視天界靈谷等歲久浸廢部檄僧興善清柏遄主之比丘真節產襄陽爲余故郡子弟初禮師明休祝髮既禮師法秀受經京師負杖而南則攝山主者延之開講聚徒三百餘衆覆講三十餘曹真節一切飯之餘二十年所乃繳檀施餘力拓地而爲之廬於時公卿大夫嚮西極聖人之教者建業則殷宗伯吳興則

陸司空豫章則羅叅知並善真節句曲李杓公以封樹至爲方外遊衡州廖度支瞠乎諸大夫後會宗伯得瑯琊大士像歸真節供奉之而司空故爲廷尉南中則亦施金爲像爲之輿王羅叅知署曰圓通精舍蓋尸大士云左爲閣三逹貯五十三經供毘盧栢公署曰華嚴寶閣右爲堂两楹供西方三聖度支所築也自署曰淨土蓮堂左而西鄉爲齋堂其南爲篭庫右而東鄉爲禪堂其南爲客寮又南則左庖右湢繚以周垣灌木修竹環之後茶而前正攝提之歲秋乃告成真節勒石舍中則以偈而誓諸大衆舍成矣第與十方有道者共之順道者安居否者擯黜居此者

同堂共飯人我無生亦福堂也既則以余故嘗語佛遺弟子如敬索碑記之顧余曾未遊於其藩何知奧作始吾求之教矣則歠糟粕而其旨亡既而求之宗矣則肆葛藟而其蔓羃久之則探本始繫隆施黜有無擯同異要以高明所極卽儁於佛何加其一稱物而平均其一齊物而平等無等寧能各足不足安取圓通概諸中庸則彼詘矣楞嚴圓通二十有五普門獨爲擅塲蓋以聞思修爲入門於吾道爲近其深入也感通則三十二應顯化則千百億身因類而施各歸具足其首圓通不虛矣乃今經師所授法衆所傳時而諄諄時而唯唯則皆由聞入者也顧其旨已朽

其言已陳耤令聞而不思思而不修是余鄉所謂糟粕耳於時　帝德廣運衆善同歸元老鉅卿翀爲盟主且也求師則師求居則居求食則食不跛而至不橐而興至足矣力三者而入普門於跬步何有時至則升堂入室各共圓通其斯以爲化人之居無膚繫西方涉南海爲也雖然有聞斯有受有思斯有想有修斯有行空五蘊而韃其三諦焉然聞則求悟悟而未始有聞也思則求通通而未始有思也修則求證證而未始有修也斯言也亦既折衷於吾儒其曰多聞曰慎思曰敬修皆下學也其曰不聞而式曰不思而得曰罔覺而修皆上達也斯言也質之圓覺而符

微之圓神而信又何憚而不求哉求則得之求而未始有求也得而未始有得也如敬吾鄉人也留八月而文始成奉足謝曰善哉宗伯司空之所陳象教也叅知之所命名教也明公之所宣言教也三教既立衆知嚮方明公一言其利尤博嗟乎余負二三君子矣太上無象有象次之有名又次之道隱於有言下也乃若太衆之所皈依本諸身教身法身也法身無象非無象無名非無名無言非無言無教非無教夫是之謂無上道夫是之謂最上乘汝師勉矣　萬曆庚辰閏月八日

圓通精舍靈應聖殿記　明南刑部尚書吳郡王世貞

西方之聖有圓通大士者其名曰觀世音又曰觀自在其眷屬則父事阿彌陀而弟蓄大勢至其爍迦羅首毋陀羅臂清淨寶目則皆八萬四千其化身則百千萬億其應度則無央無邊恒河沙界而獨於最下五濁惡世所謂閻浮提者爲至切或曰緣也或曰不然最下五濁惡世固大士之所最悲閔而迫欲援拯之者也西方之教自我薄伽梵爲人天說之今自學語兒以至篤老殘癃無不知誦阿彌而大士之像並尊則爲寺單供則爲菴于名山大川處處靡所不有而金陵爲六朝建都地自冠達帝之所隆崇而我 高皇之所剏廓崇塔精藍甲於寓內而攝山之棲霞

獨稱冠蓋割地於明僧紹立碑於江總持所稱金池無底玉樹生風者宛然故也法堂之西北嶺大有隙地而無能承其勝者襄陽比丘眞節自京師卓錫兹山以福德爲一衆所皈依几聚徒三千餘指講經三十餘度皆力任其供檀施欝積不以資三衣一鉢慨然發希有想曰我圓通大士其無意此地乎哉會故冢少宗伯邁自瑯琊致吳道子所圖眞儀而今陸太宰光祖鑄赤金像俱以命節師乃悉出所貯檀施庀材爲精舍以供之有殿有堂有閣有門有廡有齋厨筦庫之屬又嘗開講至法華多寶佛塔品則寶塔光相儼然見空中於是復憑一衆力建多寶塔而　慈

聖皇太后詔中貴人張本等周行名山至此得未嘗有出尚方金縷袈裟以壯其事塔不厦資矣其塔與精舍成皆乞左司馬汪公道昆爲之記銘而復構三楹於後以擬汪公之結夏汪公者故嘗建襄陽節者也亡何大士所寓之殿不戒於火而像與真儀俱燬無恙節公乃嘆曰茲非大士之靈祐也耶方謀復之而巨商某某俱感異夢載其材甓與資來與節公之所規畫合不彌歲而殿成緇素之徒來過者唯舉手加額訝其宏麗逾於昔而已而不能究所自節公乃乞言於居士欲以志其靈感以鎮山門居士則謂如如之體如紫金山毫髪不動常寂而應常應而寂此

不惟大士爲然導攝兩聖俱如之靈耶不靈耶爲不靈而無不靈耶吾不得而測也節公亦不能測也若圓通之肯左司馬已詳之居士可無贅已　萬曆庚寅正月

圓通精舍募田碑記　明兵部主事袁黄

江之滸有六朝古刹曰棲霞寺雲谷老人嘗棲止其中余曩就訪之獲接素菴法師聆其緒論豁如也後遊金陵必訪師師道業愈隆法席愈廣秋濵殷先生素慎許可獨重師命余依止以求解脫余壯年濶步實勃勃有遺世之想一墮塵網倐焉廿載癸巳歲得師手書索作長生田記余心諾之未暇也今秋其徒如敬不遠千里謁余趙田草堂

求曩所諸文則素師逝矣素師涖棲霞講席三十餘年四方道侶雲集供億日繁值歲祲募化艱擬結萬人緣置常稔之田千畝歲以餘租供往來僧衆擇才優行潔者司其出納不許徒屬私棄爲永久計太宰五臺陸公大宗伯忠銘王公大司空淡菴朱公輩共從臾之僅置田三百餘畝大願未終師化去如敬從師最久欲踵前績募足萬人完師所托余壯其志先草碑詞付之勒石以表往日檀越之信心仍令携疏取次結緣務足前額庶不虛節師之願乎吾聞丙戌歲大祲齋厨絶粒師晏坐趦然七日不食衆僧無一人退席者蕪湖郝氏感夢大士告以棲霞僧饑遂齋

百斛米餉及升殿禮像則儼然夢中所見也王太史肯堂有文具紀其事夫常住絶糧師與僧衆并心待盡不以干人而檀越乃感夢輸糧於數百里之外今置田取租師雖長往僧可久居而吾輩乃不能作現前悠遠之福斯亦悞矣且所捐者人止一錢所濟者其利甚溥成規永定造福無窮有志者試思之　萬曆丙申秋日

攝山棲霞寺清歡堂記　明南祠部郎錢塘葛寅亮

攝山秀聳都城北四十里外峰巒入雲青廻翠合而捧一棲霞寺如蓮花幄中自齊梁迄唐宋而下至今千餘載人主之鑾輅學士大夫之干旌隱人騷客之芒蹻蔑弗擧屐

岡度複澗而弭節焉夫游必盛騎從携朋儔載芳旨甚或亨炰肥擊鮮酣蕩流湎乃於僧之寮方丈之室遺馥流堦餘脂積濺不無妨嚴淨而溷毘尼會新搆禪堂成有剩室數椽因改爲憇客之所前闢兩扉繚以周垣由門入中庭楹凡五甃其二爲燕室堂後又爲楹者五制如前庭方幅旁列庖湢及兩廂以頓人吏車馬之屬寬然高敞可駐使軺治賓宴既落成僧請顏其堂偶拈淵明少延清歡之句遂以清歡名焉是堂也面崇丘翼正殿傍棲禪之淨土倚叠浪之危崖澗響窓間泉流屋後固出户而心怡亦登崖而興逸矣至如雙碑想徵君之捨宅千佛緬齊王之綴金塔

標隋文之所琢泉名陸羽之未嘗天開陡險之巖鹿逐清澂之塋又如陟半嶺而㧗室如巢登絶巘而大江若帶千帆落照萬壑疎鐘此皆攝山之極觀棲霞之勝覽而靡不登斯堂以共賞舉一杯以相酹則茲山之所有無不森列于前後左右以供清歡而清歡之所取亦多矣夫人世之歡率以窮嗜欲决性命惟此山水本來寂寞不礙探尋清音洗耳則絲竹可捐泉石娛心則簪弁足棄自古韻士高人賞其幽致卽一丘一壑亦留連不能已已而况秀競千巖雲興霞蔚如茲山之勝其爲歡可勝道哉顧自齊梁以來遊者無虛日至尋其徵觴絓屐之地閒房別館之蹟皆

滅沒亂烟衰草中杳不能得則遊目騁懷眞如疾風飄舉之一過其又孰爲延吾歡者唐子西之詩曰山靜似太古日長如小年夫誠知山靜之爲小年也則蔭映巖流一觴一詠視夫王孫列侯之第宅開綺筵而陳絲竹者其趣味爲孰長哉盖惟淸斯歡可延而登斯堂者毋虛此永日可矣

紀形勝栩立建置　　舊志

山爲鍾阜支脉高百三十丈周廻僅四十里多產藥草可以攝生故名形圓如蓋[illegible]繖山左右環拱遠近相望其間屹然卓立迤邐而南者謂之中峰少南爲千佛巖又南

爲紗帽峰下臨峻絶松檜交蔭誠奇觀也右則層崖起伏狀如波瀾者曰疊浪巘下則平陂數畆兩山相夾舊傳爲棲霞觀故址左則泉流縈帶隱約傍達者曰中峰澗間出一泓流自石隙其色正白者曰白乳泉上有石聳其直如截者曰天開巘又上峭壁嶔岑中可穴居者曰虎洞下爲紫盆峰南爲列岫東爲白鹿泉舊傳山中水渴居民逐白鹿至此得泉又東有峰突屼仄徑巉巘僅通杖屐劉長卿有東峰尋明徵君詩卽此又東始陟絶頂四顧諸山峰巒聳翠巘壑窈窕亦東南重鎮也嶺有五色土后鮮畜草木有澗道不甚盈溢每霖雨卽爲洪流奔入於江而長江西

來三面環遶瑩如縞練帆檣縹緲往來絡繹丘隴藪澤歷歷可指也紀形勝　棲霞寺居山之陽爲南齊明僧紹舍宅所建太始中僧紹嘗隱居於此刊木結茆二十餘年與法度禪師講無量壽佛經於是西巖石壁中夜放光現無量壽佛及殿宇焜煌之狀將鑿巖爲像不果子仲璋爲臨沂令乃同禪師經始於巖下鑿龕琢石爲無量壽佛像高可四丈左右琢觀音勢至像各高三丈大同六年龕頂復放光文惠太子豫章文獻王竟陵文宣王田奐及宋江夏王霍姬等依巖高下深廣就石爲像共成千尊梁臨川王復加瑩飾金壁煥然隋文帝時詔送舍利天下凡八十三州

分造石塔蔣州棲霞寺其一也塔以白石爲之高數丈凡五級錐琢天然種種奇絕前設導引二佛各高丈許亦以白石爲之像貌衣纓謂有顧愷之筆法唐高祖改爲功德寺增置梵宇四十九所樓閣延袤宮室壯麗與山東靈巖荆州玉泉天台國清並稱四大叢林高宗御製明隱君碑改爲隱君棲霞寺御書寺額於碑陰武宗會昌中尋廢宣宗大中五年重建徐鉉書額又曰妙因寺宋太平興國五年改爲普雲寺景德五年改爲棲霞禪寺元佑八年改爲嚴因崇報禪院又爲景德棲霞寺又虎穴寺洪武二十五年 欽奉 聖諭仍爲棲霞寺 紀刱立 寺由棲霞街東行

數百步經白蓮池始達山門左右繚以石垣南跨通津梁以達飛來石佛殿中爲天王殿三楹旁列僧舍五區有銀杏二本高數尋徑二丈繁陰覆地前代時物也後爲佛殿三楹兩翼爲鍾樓爲碑亭爲伽藍殿爲庫又後爲法堂三楹中貯藏經六百四十函左爲禪堂法堂庫司庖湢共若干楹後設累級以達方丈即鹿野堂者凡五楹兩翼各五楹又後爲古佛菴雙樹扶踈覆屋三楹具圖室山人掘地築基得古佛因以名菴右爲蓮社堂若干楹更陟一阪爲定慧菴三楹即古宴坐臺遺址後爲幽居菴遺址又後爲報慈菴循巘而西前爲曲流曰八功德水引品外泉爲之

下注禪堂以供庖湢上爲千佛龕龕具小石刻淳熙中捨鍾石佛殿則當時有殿以覆像可知南爲明月臺又南爲翠微菴遺址即古般若堂者傍爲默坐軒乃就岩爲之岩有達磨石像甚古少進可達小鹿門少東爲白鹿泉菴中鑿觀水池以竊觀瀾之義東爲白雲菴疑即白雲泉故地也又東則爲山巔碧霞元君廟云乃若跨湖千而引九鄉之水者曰棲霞橋刻宋淳熙年造跨長澗而四達者曰筏濟橋曰彼岸矼曰小虎溪橋曰問梅橋曰小石矼又曰石房在外龍山側爲當時隱者所居又曰迎賢石曰醒石曰碧鮮亭具載前賢銘刻今皆磨滅無從考矣紀建置今多更改不盡合

遊攝山棲霞寺記　明南刑部尚書吳郡王世貞

余將以三月朔赴畱筦而二月之廿六日抵京口其明日荆侍御邀登北固山又明日從京口陸行且百里俺及龍潭驛大雨肩輿出沒於危峰峭壁之阯與江相樛帶而行如是者凡二十里雨益甚江山之勝顧益奇秀色在眉睫間應接不暇欣然忘其衫履之淋漉也抵驛與兒子騏及張生元春小飲呼驛宰問以攝山道甚難之謂徑險而受雨則濘可無往也余與發不可遏質明起遂取所問道時曉色熹微與霽色接溪流暴漲不絕聲然所過諸嶺多童至中凹處忽得蒼松古栢之屬是為攝山趣馳道數百武

得寺曰棲霞右方有穹碑唐高宗所撰以傳明隱君僧紹者隱君故棲此山巳捨宅爲寺人主賢而志之碑陰棲霞二大字雄麗飛動疑卽唐人筆也稍東攝級而上曰山門江總持一碑卧於地拂而讀之復前爲門四天王所托宇焉攝級復上傑殿新搆工可十之八而前庭頗偪側僧曰未巳也是將廣之移四天王宇於山門而加偉殿後攝級復上爲方丈供起麪餅茵蔯菌而甘噉之至飽飯巳與元春兒騏由殿後啟左竇而出探所謂千佛巖者其陽爲石塔塔不甚高而壁金剛力士像於四周頗巧緻此塔隋文皇所建以藏舍利者也文皇遇異尼得舍利數百顆分樹

塔以藏之凡八十三州所遣僧及守臣爭侈言光怪靈異以媚上而蔣州其一也蓋其時建業以蔣子文故降從蔣云塔左圓池一泉泓然滿其中石蓮花蹙沸而起僧雛咸資汲焉曰品外泉兹泉陸羽所未品也循千佛巖沿澗而進迤邐不可窮時旭日漸融草樹被之葱蘢菴靄有光澤澗水受雨爭道下迸勢如散珠聲若戛玉巳繇中峰澗至白乳泉探蠡酌之盡一器乃踸踔過嶺其直如截者曰天開巖中僅通一線逕雖不甚高而孤險齾足可畏將自此問絶頂而力不勝矣其西則層疊浪嶺直下亂石錯之若海波萬沸洶湧瀰漭熟視之審其名之稱也可二里許一

蘭若承之曰觀音菴方有事於土木其壯麗幾與寺埒主僧某者福德人也言簡而精與之小酬酢而別還復飯方丈兒子輿未巳復呼元春登絶頂返則日下舂矣欲驕余以所不及見余謂君所見非大江耶業巳自北固龍潭飽之矣二子不能對乃就寢今天下名山大刹處處有之然不能兩相得而其最著而最古者獨兹寺與濟南之靈岩天台之國淸荆州之玉泉而巳靈岩於三十年前一游之忽忽若夢境耳今者垂暮而復與觀棲霞之勝獨老且衰不能守三尺蒲團地而罷勉一出遠愧僧紹[illegible]能自爲計庶幾異日不至作總持哉

遊攝山棲霞寺記略

明禮部尚書丹陽姜寶

棲霞寺在攝山之陽攝山在上元縣治之東北由太平門經姚坊門至山頂計四十五里而遠山爲鍾阜支脉高百三十丈有奇周四十里而廣以多産藥草可以攝生也故名攝山山形如蓋故又名繖山云萬曆乙酉春予與袁裕春宗伯顧觀海司馬相約爲兹山之遊由棲霞街東行數百步經石蓮池達山門入飛來石佛殿又經天王殿殿前有銀杏二株高數尋徑丈許蓋前代舊物其傍有碑亭其後爲佛殿爲鐘樓爲伽藍殿又後爲法堂中貯藏經若干函其左爲禪堂累級以達方丈時黄雲峰鴻臚携榼爲主

人邀吳三峰春元與俱入山時日已晡主賓酬勸不覺遂張燈乃各就寢於方丈次早觀山山屹然中立迤邐而南者爲中峰其左流泉縈帶者爲中峰澗澗出一泓流自石隙中色正白者爲白乳泉泉流分入池內由石蓮孔中瀆起爲品外泉寺僧皆取汲於此其又南爲紗帽峰爲紫盆峰爲千佛巖東爲白鹿泉舊傳山中水竭居民逐白鹿於此得泉故即以白鹿名泉構菴其上亦即名白鹿泉菴菴前有池取孟氏觀水之義名觀水池其上爲天開巖及境巉巖僅通杖屨即劉長卿詩嘗尋訪明徵君所云泉源通石徑風雲生斷壁處也徵君姓明名僧紹劉宋太始中隱

居此廿年餘與法度禪師講無量壽佛經因西巖石壁中夜放光現佛像將鑿巖爲像以奉佛未果也徵君身後其子臨沂令仲璋與度師經度巖下鑿龕琢石爲佛像高可四丈許左右則觀音勢至像高三丈者分列於兩傍大同六年龕頂復放光文惠太子及諸王王姬等衆依巖高下深廣就石爲像計千尊前所謂千佛巖即此五級石塔乃隋文帝詔送舍利子而造其道引二佛各高丈許亦白石爲之又後爲古佛菴雙樹扶踈覆陰一圜室室中古銅佛高一尺許蓋山人掘地築基而得故亦即以古佛名菴其南爲明月臺傍有默坐軒軒就巖半架空而爲巖壁有達

磨像甚古東爲白雲菴菴之上有試茶亭太虛亭又在試茶亭之上其又東則山之顛碧霞元君廟在焉不知何故有此今增佛與玄帝三茅真君三塑像各爲門分奉祀試茶亭而上以在山高處又方有公事不及登而返殊歉之今年予乃與李棠軒宗伯相約遊焉各不許携酒肴惟令僧人具齋飯飯罷先遊所嘗遊經佛殿則且改而新煥然矣又經紗帽峰棠軒乘輿登其上坐良久乃下既下又一一歷覽遍至古佛菴菴將頹移佛在傍近佛菴內坐在本菴佛之左晚乃就榻於方丈次早先入般若堂從般若臺觀四十二章經刻其右一亭亭所覆爲真珠泉稍上爲新

創建觀音菴菴後有多寶塔菴之左有施食臺蓋衆僧會食處又前左爲東林菴菴有新鑄銅佛一尊菴之右層厓起伏石磷硐狀如波瀾者爲疊浪巖其下有平阪數畝兩山相夾處舊傳爲棲霞觀故址從此又扳挽而上天開巖路陡無石磴幾墜屢屢兩人竭筋力扶携而上由夾道中緣木而窮其勝登訖乃下入方丈午飯罷聞有遊客至遂出門去且就輿且轉觀乃知兹山實分三支中千佛巖左龍山右虎山虎洞可穴居即在虎山中要其大勢本奇勝尤所稱勝千古者則明徵君實能爲兹山增重也徵君屢辭辟召視人世榮名不屑就而惟與佛氏子度法師爲物

外交至舍宅爲寺與之居兩人之名遂亦因玆山以不朽彼世間營營名利者殊有愧玆山去兩人胥壤矣　萬曆巳丑春三月

遊攝山棲霞寺記略

明按察副使吳郡馮時可

攝山舊名繖山以其形團如蓋也或以地宜藥物可資攝生易今名焉山脉自鍾阜而來蜿蜒北走數支窿起左環右抱輿衍蔽虧而瑰竒絶特之態亦往往綴麗其閒西北一面大江浩浩望如游龍日夜夭矯奔騰於其側陰生陽曠下上適目宜爲遁世者之遽廬而棲霞寺正直其陽寺本南齊明僧紹故宅僧紹肥遯於玆閱二紀而捨爲招提

陳侍中江總持碑文隱宿莽中可按也余謝事歸吳以微服詣白下於孟夏十九日曉從太平岡偕客杜七里而過蔣王廟又八里而出姚坊門不二十里抵山麓矣梗柯攢蔚結暗生陰已度石梁有銀杏二本高數尋徑二丈疑是齊梁時物入殿後至鹿野堂憩焉僧出飯飯之飯畢出觀隋文帝所建白石浮屠雕琢人物卉木眉髮枝莖若有生氣前設導引二佛丈餘露立皆有虎頭筆法左折觀品外泉石蓮中擎鑿爲泉眼水引自下而滴自上泠泠有韻可聽泉旁則千佛嶺也明徵君之子仲璋感金光之異就壁鑿龕琢石爲無量壽佛像高可四丈左右觀音勢至像各

高三丈大同以後增飾至千尊巨細相錯近若龍宫鳳闕遠如蜂房燕壘披烟染霞彌增藻絢他山所未有矣蝼蛇而上禮古佛菴嘉靖丙辰雲公得銅像於地高二尺許款製精良非唐宋以後工人所能也又折爲紗帽峰四旁睨之厥狀宛然再上爲默坐軒不語道人所息洞也道人止靜八年而去殷學憲邁異之軒所自立耳過此爲縹緲峰石勢崢嶸嶄嶄逼人下爲中峰澗泉流縈帶溪徑窈窕緣陰如幄希見曦景爲一山勝處有橋跨焉倚之則其勝可盡僧欲建聽泉亭於上以不得檀越未備厥觀泉聲鳥鳥若有望者其旁爲白鹿泉出紫盆峰下壁以紫泉以絲相

映爭暉棲托者不能自絕於其側舊傳山中水竭居民逐白鹿至此得泉故也又轉至白雲菴爲試茶亭陸羽之所嘗矣下有白乳泉其迹已沒水若沮洳然無可質究閱畢復由紗帽峰至觀音菴則節公所築精舍門外有試食臺龍虎二峰相峙如拱如衛下窺松路一線縈紆歷歷若有人行亦勝處也管公以軟輿送予至天開巖兩崖削立其直如截濶可三尺爲磴數十級而上磴盡爲臺所名唐公巖也可置數席下有大石如列豆所謂迎賢石醒石皆離離左右巖之側老僧無淨禪定於此十七年矣衲子寂時導予往視因導予至凌虛室約五里而陟絕頂下望江水

烟帆雲艇忽在襟袖馬鞍鳳臺金焦諸山擁翼連綿若龍之蟠若蛇之走若牛馬之吸夕陽射之閃閃作紫金光相映令人兩腋習習幾欲風舉迤邐而下觀真珠泉有亭翼然峰巒相合蓊蔚無間抵鹿野堂而日在虞淵矣小酌既罷夜靜山空閴無影響遂與允修連榻清論齒舌相擊纚纚不休則中峰又將吐月卽起披衣徘徊庭中久之鐘聲梵唄遠近相送東方白矣栢公謂予曰茲山之勝公已十探其九所未酬者中峰耳吾導公究之携余手而東可數百武卽落我杖底峰皆石骨磷磷齒錯賈勇以登且翹且蹻兩足幾蹶遂上最高處極目四望連峰接崖或起或伏

如疊浪然不知身乃浪中人也下而觀若石臺徘徊蒼崖古樹間意不欲去從者告以晡資竭請予就駕歸　壬太平岡寓遂爲記以貽允脩　時萬曆丁亥四月二十日

再遊攝山記略　明按察副使吳郡馮時可

余往以萬曆丁亥孟夏遊攝山蓋十九年矣乙巳來金陵寓表弟施別駕舍暮春六日雨後道少人甚鮮淨乃籃轝出太平門從堤上度日小遷始抵山麓松栢攢欝結暗生陰顧時有缺處老僧云舊有宋元時木數百株奇古異狀嘉靖初尚及見後爲豪者伐盡賴里人孫富爭之僅存其一孫復捐貲更樹以遺僧今蔽芾林林者孫澤耳豪未幾

身殞家破古語伐巨木者遭重殃信哉馳道盡而有廣場中爲月牙池然得更廣之奢受月光俾游儵縱樂當更快耳右方穹碑樹焉所書唐高宗傳明隱君僧紹大都津津謂其辭官捨宅足多耳碑陰棲霞二大字飛動生色亦唐人筆也山門嶼新列四天王再進爲傑閣亦新搆環殿有廊釋迦三身及十六應真位咸莊嚴壯麗其背則大士三身端靚爍目庭有銀杏二本高數十尋徑五圍繁陰覆地前代物也後殿供大士坐千葉蓮葉各有佛製亦工巧殿後躡級復上啟左竇而出則千佛巖其陽爲石塔凡五級雕琢金剛力士像工緻有生氣傳是隋文皇建文皇遇異尼

得舍利數百顆分八十三州各樹塔蔣州其一也前設導引二佛往露立今亭焉像貌衣纓有虎頭筆法塔左一泉泓然水從石罅中颬沸而起名品外泉謂鴻漸未嘗至此地即千佛巖明隱君感佛光其子仲璋琢石爲無量壽佛像可四丈左右觀音勢至稍亞工等導引二佛往即石爲龕今更以石砌爲殿覺益壯觀其傍千像則文惠太子豫章竟陵王琢或曰佛一而已何千之有然不有千百億化身乎巖左有梁恨不蹝其澗亭其梁使素蜆縱橫俾游客坐聽水樂亦缺事也入小菴酌白鹿泉已陟千佛巖而進有紗帽峰自此漸入岐路糾紛樹色相引繁陰如幄蓋茲

山之妙以奥以古不以奇以峭也行可二里許一蘭若曰觀音菴往素上人演三車其中上人旣没其徒猶能自飭頗於靜中得閒又里許陟天開巖逕路一線其上可眺大江將自此問絶頂禮元君而足力不任矣歸至綠雲菴小閣深竹差足娱憩牡丹數本猶能護殘紅媚我獨沙彌朴不能以宗指相引晩飯畢遂就牀寢寢頗甘五更聞鐘聲披衣起坐黎明遊翠微菴訪蒼巖上人上人有戒行往予其舍別幾二十年遂蒼老不能相識覔庭中舊植非故所謂樹猶若此人何以堪爲之浩歎菴中建閣四山圍繞萬松謖謖而閣後立巨石嶙峋峭竦若張屏建標石下隙地

亦堪壽植上人特駕石梁與閣相接可謂善能布勝祝紿
誠題曰磊砢閣坐有頃至天開巖其側一菴隱深篁中委
蛇而入其上三舍有客讀書不得懇從其傍有曰醒石房
三楹倚石立屋楊少宰時喬又以禹王古碑立其側房自
此有名地因人重信夫懇少頃策騎反因入蔣王廟復登
雞鳴寺毘盧閣而歸僧紹以一布衣耽情墳索愛玩泉石
入辭召命天子至形夢寐欲就寺一見而不可得彼豈務
爲名高獨有所耦則衆有所畸天下會心寧過文章山水
乎今夫竹馬泥像兒童寶焉長則棄之世人所競車馬之
聚金玉之積以是勞勞竟其身然境不軼於塵濁光僅爍

乎尺寸以達人視之其與竹馬泥像何異惟文章山水清舉曠覽兩儀一指萬象雙眸其樂何恣明徵君辭官捨宅視如脫屣有以哉若能自適自上由言忘言由境除境便可超二乘登十地即不鑿龕不飾佛亦可甬窓無事漫爲之記

法度禪師傳略　　高僧傳

釋法度黃龍人少出家遊學北土備綜衆經而專以苦節成務宋末遊於京師高士齊郡明僧紹抗蹟人外隱于瑯琊之攝山挹度淸眞待以師友之敬及亡捨所居爲棲霞精舍請度居之先有道士欲以寺地爲館住者輒死及後

爲寺猶多恐動自度居之羣妖皆息經歲餘忽聞人馬鼓角之聲俄有一人持紙名通度曰靳尚度前之尚形甚都雅羽衛亦嚴致敬已乃言弟子主有此山七百餘年神通有法物不得干前諸棲托或非眞正故死病繼之亦其命也法師道德所歸故捨以奉給幷願授五戒永結來緣度曰神人道殊無容相屈且檀越血食世祀此最五戒所禁尚曰若備門徒願先去殺於是辭去攝山廟巫夢神告曰吾已受戒於度法師祠祀勿得殺戮由是廟中薦止菜脯時有沙門法紹業行淸苦譽齊于度而學解優之故時人號曰北山二聖紹本巴西人汝南周顒去成都招共下山

止于山茨精舍度與紹並爲齊竟陵王子良始安王遥光恭以師禮資給四事度嘗願生安養故徧講無量壽經積有徧數齊永元二年卒于山中

智者禪師傳略　集諸傳

師諱智顗字德安潁川人陳光大元年同法喜等二十七人至陳都行至攝山有一老僧名法濟即何凱之從叔也自矜禪學倚臥聞言有人入定聞攝山地動知僧詮練無常此何禪也答曰邊定不深邪乘闇入若取若說定壞無疑濟驚起謝曰老僧身嘗得此靈曜定向則公說之公說之則所不解說已永失今聞所未聞非真知善法相亦乃

懸見它心濟以告顗顗告朝野由是聲馳道俗請益出大藏翦字函顗後旋徃天台於寺北華頂峰獨靜頭陀大風拔木雷霆震吼魑魅千羣一形百狀吐火聲叫駭畏難陳乃抑心安忍湛然自失又患身心煩痛如被火燒又見亡沒二親枕頭膝上陳苦求哀顗又依止法忍不動如山故使強軟兩緣所感便滅陳宣帝下詔曰禪師佛法雄傑時匠所宗訓兼道俗國之望也宜割始豐縣調以充衆費蠲兩戶民用供薪水永陽王伯智出撫吳興與其眷屬就山請戒又建七夜方等懺法王晝則理治夜便習觀顗謂門人智越吾欲勸王更修福禳禍可乎越對云府僚無舊必

應寒熱顗曰息世譏嫌亦復爲善俄而王因出獵墮馬將絕時乃悟意躬自率衆作觀音懺法不久王覺小醒憑几而坐見梵僧一人擎爐直進問王所苦王流汗無荅乃遶王一帀翕然痛止仍躬著願文曰仰惟天台闍梨德侔安遠道邁光猷遐邇傾心振錫雲聚紹像法之墜緒以救昏蒙顯慧日之重光用拯澆俗加以遊浪法門貫通禪苑有爲之結已離無生之忍見前弟子飄蕩業風沉淪愛水雖餐法喜弗祛蒙蔽之心徒仰禪悅終懷散動之慮日輪馳騖羲和之轡不停月鏡廻斡姮娥之景難駐有離有會歎息何言愛法敬法潺湲無已願生生世世值天台闍梨恒

修供養如智積奉智勝如來若藥王覲雷音正覺安養兜率俱蕩一乘云云其爲人王信敬爲此類也於即化移海岸法政既闡陳疑請道日升山靡陳帝意欲面禮將伸謁敬顧問羣臣釋門誰爲名勝陳暄奏禪師德邁風霜禪鏡淵海昔在京邑羣賢所宗今高步天台法雲東藹願陛下詔之還都使道俗咸荷因降璽書重沓徵入顗以重法之務不賤其身乃辭之又降勅前後七使並帝手疏顗以道通惟人王爲法寄遂出都焉迎入太極殿之東堂請講智論有詔羊車童子引導於前主書舍人翊從登階禮法一如國師瓘闍梨故事陳主既降法筵百僚盡敬希聞未聞

奉法承道因郎下勅立禪衆於靈耀寺學徒又結望衆森然頻降勅于太極殿講仁王經天子親臨僧正慧晅僧都慧曠京師大德皆設巨難顗接問承對盛啓法門晅執爐賛曰國十餘齋身當四講分文析義謂得其歸令日出星收見巧知陋矣其爲榮望未可加之然則江表法會由來爭競不足及顗之御法郎座肅穆有餘遂使千枝花綻七夜恬耀舉事驗心顗之力也晩出住光耀禪慧雙弘動郭奔隨傾音淸耳陳主於廣德殿下勅謝云令以佛法仰委亦願示諸不逮于時檢括僧尼無貫者萬計朝議云策經落第者並合休道顗表諫曰調達誦六萬象經不免地獄

盤特誦一行偈獲羅漢果篤論道也豈闕多誦陳主大悅即停搜簡未爲靈耀褊隘更求閑靜忽夢一人翼從嚴正自稱名云余冠達也請住三橋覬曰冠達梁武法名三橋豈非光宅耶乃移居之其年四月陳主幸寺修行大施又講仁王帝於衆中起拜殷勤其受法文云仰惟化導無方隨機濟物衛護國土汲引天人照燭光輝託迹師友比丘入夢符契之像久彰和尚來儀高座之德斯炳是以翹心十地渴仰四依大小二乘内外兩教尊師重道由來尚矣伏希俯提所謂世世結緣遂其本願日日增長今奉請爲菩薩戒師傳香在手而臉下垂淚斯亦德動人主屈幸從

之及金陵敗覆策杖荆湘往憇匡山未刻迹雲峰終焉其致會大業在藩任總淮海承風佩德欽注相仍欲遵一戒法奉以爲師乃致書累請顗初陳寡德次讓名僧後舉同學三辭不免乃求四願其詞曰一雖好學禪行不稱法年旣西夕遠守繩牀撫臆循心假名而已吹噓在彼惡聞過實願勿以禪法見期二生在邊表頻經離亂身闇庠序口拙暄涼方外虛玄久非其分域間樽節無一可取雖欲自愼樸直忤人願不責其規矩三微欲傳燈以報法恩若身當戒範應重去就去就若重傳燈則闕去就若輕則來嫌誚避嫌安身未若通法而命願許其爲法勿嫌輕動四十

餘年水石之間因以成性今王途既一佛法再興謬課庸虛沐此恩化內竭朽力仰酬外護若丘壑念起願隨心飲啄以卒殘年許此四心乃赴優旨遂於當陽縣玉泉山立精舍勅給寺額名爲一音其地昔唯荒嶮神獸蛇暴創寺之後快無憂患總管宜陽公王積到山禮拜戰汗不安出曰積屢經軍陣臨危更勇未嘗怖懼頓如今日旋歸台岳仍立誓云若於三寶有益者當限此餘年若其徒生願速從化不久告衆曰吾當卒此地矣商客寄金醫去留藥吾雖不敏狂子可悲仍口授觀心論隨略疏成不加點潤命學士智越往石城寺掃灑吾於彼佛前命終施牀東壁面

向西方稱阿彌陀佛波若觀音又遣多然香火索三衣鉢杖以近身自餘道具分爲二分一奉彌勒一擬羯磨有欲進藥者荅曰藥能遣病留殘年乎病不與身合藥何所遣年不與心合藥何所留智晞往曰復何所聞觀心論內復何所道紛紜醫藥累擾於他又請進齋餘荅曰非但步影而爲齋也能無觀無緣即眞齋矣吾生勞毒器死悅休歸世相如是不足多歎便令唱法華經題讚引曰法門父母慧解由生本迹弘大微妙難測輟斤絕絃於今日矣又聽無量壽竟仍讃曰四十八願莊嚴淨土華池寶樹易往無人云云又索香湯漱口說十如四不生十法界三觀四

敎四無量六度等有問其位者荅曰汝等嬾種善根覓他功德如盲問乳蹶者訪路云云吾不領衆必淨六根爲他損已只是五品內位耳吾諸師友從觀音勢至皆來迎我波羅提木叉是汝宗仰四種三昧是汝明導又勑維那人命將終聞鐘磬聲增其正念唯長唯久氣盡爲期云何身冷方復響磬世間哭泣著服皆不應作且各默然吾將去矣言已端坐如定而卒于天台山大石像前徃居臨海民以滬魚爲業罾網相連四百餘里江滬溪梁六十餘所顗惻隱貫心彼此相害勸捨罪業敎化佛緣所得金帛乃成山聚卽以買斯海曲爲放生之池又遣沙門惠拯表聞于

上陳宣下勑嚴禁此池不得採捕因爲立碑詔國子祭酒徐孝克爲文樹于海濵詞甚悲楚覽者不覺墮淚時還佛壟如常習定忽有黄雀滿空翱翔相慶嗚呼山寺三日乃散顗曰此乃魚來報吾恩也至今貞觀猶無敢犯下勑禁之猶同陳世所著法華疏止觀門修禪法等各數十卷又著淨名疏至佛道品有三十七卷皆出口成章侍人抄略而自不畜一字自餘隨事疏卷不可殫言出高僧傳師造寺三十六所嘗曰余所造寺棲霞靈巖天台玉泉乃天下四絶也出佛祖統紀

法嚮禪師傳略　佛祖統紀

法響揚州人從智者學誦通法華乃於棲霞寺側立法華堂行三昧既獲證悟默而不言山中猛虎日害數人衆設大齋以爲禳禬群虎數十大集齋所衆驚避師至虎前以杖扣群虎頭爲其説法自此之後遠遁無跡禪師行簡親承智者剃度稟受禪法常坐不臥智者在玉泉令往澧州化耕牛回至中路忽逢群盜斬師之首奪牛而去師之屍形即從地起以手捧頭安頭上健步如飛來追賊黨賊皆驚異遂還其牛誓終身爲奴以求謝過今庄中佃奴有姓向者是其後

釋慧偘傳略　高僧傳

釋慧侃曲阿人修禪法大有悟解住棲霞時嘗往揚都謁偲法師異禮接之將還山偲請現神力侃即從窗中出臂解齊熙寺佛殿上額因語偲云世人無遠識見多驚異故吾所不爲耳大業元年終於大歸善寺初侃終日告衆僧曰吾今死去便還房內衆追之但見白骨一具跏坐牀上撼之鏘然不散

釋保恭傳略　高僧傳

釋保恭青州人晉永嘉南遷止建業陳至德初攝山慧布請立清徒遂任綱位故得棲霞一寺道風不墜仁壽末帝徵入爲禪定道場主綱正清肅有聞至隋齊王暕奉禮爲

師既受戒已施衣五百領一無所受唐運初避官藍田悟眞寺將終焉武德二年勅召還舊檢校仍改禪定爲大莊嚴寺舉十德統攝京輦諸僧高祖曰恭禪師志行清澄可爲綱紀朕獨舉之既位斯任諸無與對遂居大德之右專當剖斷平恕衷詣衆無怨焉大業中梟感起逆恭正堂中登座豎義兵衛奄至圍繞階庭合衆驚惶將散其席恭曰自省無事從容談叙都無異色由兹陳隋唐三國天子隆焉墓碑唐秘書監蕭德言製文

釋元崇傳略　高僧傳

釋元崇幼孫秀立志夷簡十五負笈洞天後歸心釋典大

暢佛乘採訪使潤州刺史齊平陽公久虛佇之開元末年從尼官寺踏禪師諮受心要因以物望請移所配棲霞寺至德初入終南經衛藏至白鹿下藍田於輞川得王右丞維之別業松生石上水流松下王公焚香靜室與崇相遇起居蕭舍人昕並茲一會抗論彌日王蕭嘆曰佛法有人不宜輕議也及言旋河洛登陟嵩少東適吳越天台四明數年之後遐想鍾山飛錫舊居考以雲房道俗咸喜大曆五年刺史南陽樊公屬縣行春順風稽首益加師禮時寺乏監主崇總其事二十年欒櫨雲構丹雘日新功成身退安禪高頂前後學徒不可勝計大曆十二年示疾山院遷

[illegible]攝山之陽

釋智聰傳略　　　高僧傳

釋智聰未詳何人昔住揚州白馬寺陳平後度江住揚州安樂寺大業既崩思歸無計隱江荻中誦法華經七日不饑恒有四虎遶之經十日聰曰吾命須臾卿須可食虎曰造天立地無有此理忽有一公年可八十掖下挾船曰師欲度江棲霞住者可卽上船四虎一時目中淚出聰曰救危扳難正在今日可迎四虎於是利涉往達南岸船及老人不知何在聰領四虎同至棲霞舍利塔西經行坐禪誓不寢臥衆徒八十咸不出院若有凶事一虎入寺大聲告

衆由此警悟每以爲式聽以山林幽遠糧粒難供乃合率揚州三百清信以爲米社人别一石年别送之由此山糧供給道俗乃至禽獸逼皆濟給至貞觀二十三年四月八日小食訖往止觀寺禮大師影像執鑪遍禮又往輿皇墓所禮拜還歸本房安坐而卒異香充溢

大德玭律師碑略　　唐劉軻

世說域中四名刹棲霞其一以其高僧世出自齊梁間大小朗至大師聲問相襲故江左重呼其名謂棲霞大師焉大師諱曇玭俗姓王氏晉瑯琊文獻公後至德三載勑隸於明寺後累蒞事于甘露壇場[illegible][illegible]各儀形梵衆大曆初

[illegible][illegible]棲霞州牧蕭公高其人謂標望風度詎獨鄭衛松栢耶乃命為僧正紀綱大振雖一公帖四輩之望無以上也十四年忽昌言於衆曰吾以律從事自謂無愧於篇聚矣然猶未去聲聞之縛既而探曹溪牛頭之旨沉研覃思朗然內得乃曰大丈夫了心當如此建中元年禪坐空谷雖野馬飄鼓星辰淩歷云云自彼我何事焉貞元十三年十一月六日丁亥坐化于瓦官寺律堂輒乃叙述為之文曰有晉氏家地高瑯琊產棲霞兮宿殖有自許身佛氏為釋子兮結決纏蓋恵夘中淨誰何對兮璞琢金鎣潭澄月映本清淨兮尸羅毗尼開遮止行作律師兮攝深匡高以遊

以遨鏗蒲羅兮梵行既立薪傳火襲光岌岌兮

御製攝山棲霞寺明徵君碑　唐高宗　高正臣書

朕聞鍾山玉闕羽駕之所巡游峴嶽金臺蜺衣之所翔集雖復真宗窅眇神理希微猶居三界之中未出九天之外唯有乘如廣運妙覺圓明因無生以濟有生就無象而成大象道隔去來之際筌繫靡得其端理忘動寂之機隨迎罕窺其奧得其門者如髻寶之希逢臻其極者似曇花之難遇南齊徵君明僧紹者平原人也仲雍誕其緒祖井伯播其靈苗芳源肇于孟明因即以明為姓曾祖恍晉著作郎祖玩晉建威將軍鳳經流譽雅韻隆于八儒豹略申威

香名高於七校父略宋平原太守中書侍郎朱明出撫揚惠化而傷霑紫詰攸司罄忠規而奉上徵君早植淨因宿苞種智悟真空於綺歲體法性於青襟照與神通心將道合遺榮軒冕少無塵雜之情託志林巖自叶幽貞之趣亭亭秀氣掩壁月而架丹霄皎皎清衿漱瓊湍而凌碧瀨郎相非相指萬象爲虛空無我無人等四流于寂滅加以學窮儒肆談綜典墳論極玄津精通老易至若鹿野龍官之秘猿江鶴樹之文莫不遍貫清衷總持丹府莊荊坐樾獨神王於亭皐朗嘯長吟乃情超於宇宙蕭輪毎至攀桂之節逾高玉帛屢陳桃石之誠彌固遂乃緬懷飛遁抗迹崂

山託岫踈階憑林結棟紉蘭製芰方輕藻火之衣爽籟風松自代管絃之響幘經者四集請益者千餘高鳳愧以韜光張超謝其成市于時南風不競東土構屯人厭豺狼之毒家充虵豕之餌盜仍有道望境歸仁共結盟誓之言不犯徵君之界豈非至誠攸感木石開心者乎及玄曆告終青光啓祚齊高祖希風佇德側席旁求屢下徵書確乎不拔其後又移居欇洲弇榆山棲雲精舍情覩魚鳥志狎烟霞蛻影樊籠蕭然獨往齊建元元年又下詔徵爲散騎侍郎又不就既而濟岱淪胥公私蕩覆稽天之浸將湮滔海之居燎原之火欲爐藏山之璞乃鴻騫鳳舉騰翥[illegible]以[illegible]

翱擇木選君相九土而遥集凌江迴憩遂届南京負杖泉丘遊睨林壑歷觀勝境行次攝山神谷仙巖特符心賞於是披榛薙草定跡深棲樹槿疏池有終焉之志此山其狀如繖故亦號曰繖山丹穴紅泉共星河而競寫珠林鏡巘與月桂而交暉鳥哢巖虚猿吟澗靜松門杳藹去來千里之雲花援丰茸含吐十枝之日實息心之勝地乃宴坐之名區爰集法流於焉講肆音容秀徹宇量端凝抆論會奇興言入妙若鴻鐘之虚受有擊必揚似明鏡之忘疲無來不應于時玄儒兼闡道俗同歸俱號淨名以旌至德先是山多猛噬人罕登臨昇巖有仙谷之危越澗等憑河之險

徵君心不忤物總萬類以敷仁故使物乃華心屏三毒而歸惠輿風歛暴遽承探鯁之恩游霧含辛自埒報珠之感于時齊道方穆寤寐求賢永明元年又徵爲國子博士徵君隱居求志義越于由光不降凝心跡高於園綺鑿坏貞遁漱石忘歸鶴版載臨豹姿逾遠俄有法師僧辯承風景慕翼徒振錫翻然戾止法師業隆三藏道邁四依戒行堅明律軌嚴淨欣然一遇叶契千齡子琴爲莫逆之交溫雪豈容聲之友因即隣巘構宇刻起梵居聳嶠飛柯含風吐霧棲霞之寺由此創名福地裁基肇發初心之誓法門潛構遽鍾後說之辰安居頃之辯師遷化六年項拜雖開[illegible]

石之壇于日威光未建紫金之岳徵君積緣登妙至感入微嘗夢法身冠于層巘後因乘眺屣步林亭乃有浮磬吟空寫圓音於帷樹飛香散迴騰寶氣于鑪峰又覩真顏于巖之首神光駭矚若登靈鷲之山妙力難思如游耆龍之邑豈止無垢佛國獨蔭珠雲淨德王家方承珂雪是知不行而至冥通應感之符爲法而來實昭光啓之福非夫慧因宿植其孰與於此哉于是拜受嘉徵願言經始將于巖壁造大尊儀乃眷爲山未遑初簣遽而西州智士與曉岳而俱傾東國高人隨夜星而共沒瓊瑶落彩峰岫沉暉永明二年奄遷丹壑第二子臨沂公仲璋顧慕層巒旣崩心

于岵望徘徊曩構更泣血於楹書遂琢彼翠屏爰開葉座捨茲碧題式建花宫上憲優塡之區仰鏤能仁之象校美何充之宅遽興崇德之闈遜彼蕭宗大弘釋典文惠太子及竟陵王或澄少海之源泒朝宗于法海或茂本枝之穎發萌柢于禪枝咸捨淨財光隆慧業時有沙門法度爲智殿之棟梁卽此舊基更興新製又造尊像十有餘龕及梁運載興銳心廻向大林精舍並事莊嚴臨川王載剖竹符宣化維揚之境言尋奈苑興想拔茅之義以天監乙十五載造無量壽像一區帶地連光合高五丈滿月之瑞湛珠鏡以出雲崖聚日之輝昇璧輪而皎煙路參差四注周以

鳥翅之房迢遞千尋飾以魚鱗之瓦擊鳴乾於莫鎮刹步影齊歸麗亭午於高曦則息心攸萃逾錦城而特進擬銀界而孤標良由積慧所符大士著甚深之業用能遺誠克果永代增希有之緣以曠劫之隆因開含生之至福偉哉壯觀無得而稱朕肅纂禎圖丕承寶曆澄九瀛而有截晏八表而無爲紫塞丹岑接封畿于上苑白門青野款賝贄於仙闈將使率土蒼生鎮昇仁壽之域普天黔首永蹈淳古之源崇慶越於兩儀景運逾於萬劫屬以覓旒多暇物色傍求瞻江海而載懷詠林泉而興想欽風味道恨不同時古往今來撫運化而雖寂德崇業著眷冲漠而猶存寤

霖遺塵有兼前烈瞻言勝軌歎佇唯深今故於彼度人常滿七七各兼衣鉢錢二百貫絹二百匹蘇三十斛繡像織成像新舊翻譯一切經一藏幷幡華等物憑幽尋之曩跡光顯德門託嘉遁之名區追崇仁里就福宇而延福郎祚基以締祥冀緣金園之庭近叶珠囊之耀所願通因法岸契果禪林九鼎與玄極同安七廟與紫微齊固總三千之淨土並沐薰歌馨百億之恒河長爲壽筭鐵圍之所包括玉燭之所照臨常飡六氣之和俱藻一音之聽夫象以盡意意非象而不申言以會情情非言而不暢是以發揮二諦弘演四依迴託蓮花之峰遥刻芝英之字庾海桑頻變

孫超弇岳之碑城芥屢空獨跨稽岑之篆式陳茂實乃作銘云悠悠法界總總含生輪廻欲海起滅身城俱安大夜共習無明愛塵岳聚毒樹雲平（其一）邈矣徧乞超然獨悟遽乘五演高披六度大空善說中天巧諭引彼迷途歸之覺路（其二）猗歟淨行育彩昆田遠將珪組代著忠賢戒支宿習種智斯圓棟梁三寶薰修四禪（其三）爰始筮賓薛蘿攸整蹈海沉跡棲巖滅影天地搆屯干戈牙警北林罔庇南轅載騁（其四）翻飛澤國歷考山圖言瞻碧磴自韞玄珠囘峰架室枕壑通衢鱣庭廣跨馬帳宏敷（其五）同氣相求善隣遥託道符久敬心均常樂對闢金園並疏銀閣谷停帝馬鑾歸梵

鶴其六空分瑞塔地積香臺珂月霄映珠雲旦來千光霧起
七淨霞開谷邊飛錫澗下乘杯其七桂巘參差松亭隱靄石
壇照錦瑤泉瀉籟岫接香鑪峰承寶蓋翔梟演法毒龍銷
害其八梵宮既啓福海長深噬虺忘穴飛鴞革音羣生普戴
奕祀同欽不有高節寧符夙心其九負扆多閑聞風遐想茂
軌遐欽清暉遽往佇契業於圓明冀崇緣於方廣鏤飛篆
於層岳齊勝基於穹壤其十　大唐上元三年四月

明僧紹傳略　南史

明僧紹字承烈平原鬲人也祖玩侍中父略給事中僧紹
宋元嘉中再舉秀才明經有儒術永光中鎮北府辟功曹

並不就隱長廣郡嶗山聚徒立學淮北沒虜乃南渡江明帝太始六年徵通直郎不就昇明中太祖爲太傅教辟僧紹及顧歡臧榮緒以旌幣之禮徵爲記室參軍不至僧紹弟慶符爲清州僧紹之糧食隨慶符之鬱洲住弇榆山棲雲精舍欣玩水石竟一不入州城建元元年冬詔曰朕側席思士載懷塵外齊郡明僧紹標志高棲耽情墳索幽貞之操宜加賁飾徵爲正員外郎稱疾不就其後與崔祖書曰明居士標意可重吾前旨竟未達耶小凉欲有講事卿可至彼具述吾意令與慶符俱歸又曰不食周粟而食周薇古猶發議今寧可息談耶聊以爲笑慶符罷任僧紹隨

歸住江乘攝山太祖謂慶符曰卿兄高尚其事亦堯之外臣朕雖不相接有時通夢賚遺僧紹竹根如意筍籜冠僧紹聞沙門釋僧遠風德往候定林寺太祖欲出寺見之僧遠問僧紹曰天子若來居士若爲相對僧紹曰山藪之人政當鑿坏以遁若辭不獲命便當依戴公故事耳永明之年世祖敕召僧紹稱疾不肯見徵國子祭酒不就卒

〔詩〕和令君遊虎穴寺　梁王冏

美境多勝迹道場實茲地造化本靈奇人功兼製置房廊相映屬堦閣並殊異高明留睿賞清靜穆神思豫遊窮領歷藉此芳春至野花奪人眼山鶯紛可喜風景共鮮華水

石峻千學道者爲宜于是迎禪師法會居焉時復得興善者相之都人士各出其力成就廢闕居民亦稍以侵地來獻迨今四十載會既化去嚴石堂本爲之索然頃釋然定覩像宇圮壞撫然興復意之所至不督而集中常侍暨公祿党公存仁劉公海争以檀施歸之而王公壽綜理加毖首于千佛嶺三聖殿大爲貲飾工未峻也會容公仲者臥夢神僧捫摩宿痾如脫問其自曰攝山客心異之入寺尋訪感諸緣會應如決川故三殿曰大雄曰天王曰藏經力任修葺以伽藍祖師二殿翼之沿故畀新因毁成妍于是高甍霱以雲扃亘儀揭其日麗荒榛灌莽之間冊至炳煥

憑相寄懷因敬生悟庶幾弱喪而得大歸也況茲山巖泉含絕世之美自是結構莊嚴與弘濟牛頭相映發于江表其功大矣余自罷歸累憩于斯尋徵君散騎之跡灑然而樂之住持本源請次其事于石嗟夫士之懷瑰琰而就煨塵者其有待于人豈不猶此山哉是又可歸風而一慨也

重修棲霞寺記　明南尚寶司卿豫章祝世祿

棲霞寺在攝山之陽山從鍾阜蜿蜒而北江水環之其中巖壑秀暎泉洞交錯齊明仲璋鑿石爲無量佛齊文惠太子與諸王鑿千佛嶺隋文帝爲石塔而監兩石佛道之皆極精麗迨至　國朝悉仍舊額成化間有司借税寺田僧

既通濟臣亦失額而寺幾墟矣嘉靖間住持興善偕法會和尚同心恢復侵產得歸結構粗且萬曆丙申予視留垣數數憩此始爲蹟修定慧禪堂越歲三空法師曾定者自關西來觧行雙修機緣多耦見千佛嶺剥落殆盡無復相好遂與明通謀莊嚴之而中貴人客君仲乞諸當事者二三公合金爲功一佛一龕櫛比龐岫之中者金碧輝暎山亦生色客君與同僚王壽齋心矢力竭蹶皆朝自庚子至丙午歷七載而落成曰山門曰天王殿曰大雄殿西側曰祖師殿東側曰伽藍殿皆稍有其基而咢新之者也曰藏經殿曰韋馱殿曰接引殿以培前石佛突立風雨中而覆

之棟宇也曰三聖殿則因無量壽佛舊鑿山爲宇而復裁石甃之也殿前繚以石垣延袤如城郭題曰淨土干城曰地藏殿以住僧司梵修而延定公主之山之巔曰碧霞元君殿凡皆無基而首創之者也山門左有隙地四十畝屬民馬草場者昇科于上元以貲懇之爲地藏殿工既成新舊住持丐余言以爲記予矍然曰此一棲霞也齊梁初造唐宋遞興現成壞相僧紹安存後遊接踵現去來相凡此皆法之不住者耳山中大善知識能得常住于不住之中則一毛端現寶王剎可歷劫而不壞又安問記耶

〔詩〕和令君遊虎穴寺　　梁王冏

石相輝媚法像無塵染貞僧絕名利陪遊既伏心聞道方刻意

奉和江令　　梁陸罩

雞鳴動睟駕柰苑睠晨遊朱鑣陵九逵青蓋出層樓歲華滿芳岫虹彩被春洲葆吹臨風遠旌羽映天浮喬枝隱修逕曲澗聚輕流徘徊花草合瀏浣鳥聲遒金盤響清梵寶塔應鳴桴慧雲方靡靡法水正悠悠實歸徒荷教信解媿難酬

奉和江令　　梁孔燾

聖情想區外脂駕出西南前驅聞鳳管後乘躍龍驂爰遊

非暇豫幽谷有靈龕衾靚息心者宴坐臨清潭禪食寧須稼雲衣不待蠶蘋荇緣澗壑蘿蔦蔓松楠鶯林響初囀春畦藥欲含惑心隨教遣法味與恩覃庶憑入解力永滅六塵貪

奉和江令　梁王臺卿

我王宗聖道篤言從所好輶軒轉朱轂驪馬躍青絲清渠影高蓋遠樹拂行旗賓從紛雜沓景物共依遲飛梁通澗道架宇接山基蘂花臨迴砌分流繞曲墀誰言非勝境雲山獨在兹塵情良易着道性故難緇承恩奉教義方當弘受持

從駕虎穴寺　梁鮑至

神心睠物欲訪道絕塵囂林踈蓋影出風去管聲遙息徒依勝境税駕止山椒年還節已仲野綠氣芳韶短葉生喬樹踈花發早條遠峰帶雲沒流爛雜雨飄復茲承之者須名厠末僚願藉連河潤庶影慧燈昭一知衣內寶方憩茲地遼

遊棲霞寺 并序　陳江總

禎明元年太歲丁未四月十九日癸亥入攝山展慧布法師憶謝靈運集還故山入石壁中尋曇隆道人有詩一首十一韻今此作仍學康樂之體

霡霂時雨霽清和孟夏肇棲宿綠野中登頓丹霞杪敬仰

高人德抗志塵物表三空豁已悟萬有一何小始終情所寄寘期諒不少荷衣步林泉麥氣涼昏曉乘風而冷冷候月臨皎皎烟崖憇古石雲路排征鳥披逕憐森沈攀條惜杳裊平生恐是非朽謝豈矜矯五濁自此淨七塵庶無擾

靜臥棲霞寺房望徐祭酒　陳江總

絕俗俗無侶修心心自齋連崖夕氣合虛宇宿雲霾臥藤新接戸欹石久成階樹聲非有意禽戲似忘懷故人市朝狎心期林壑乖唯憐對芳杜可以為吾儕

遊虎穴寺　陳江總

塵中喧慮積物外衆情捐兹地信爽塏墟隴瞹阡綿靄靄

車徒邁飄飄旌旆懸細松斜遶徑峻嶺半藏天古樹無枝葉荒郊多野烟分花出黄鳥挂石下新泉蓊鬱均雙樹淸虛類入禪棲神紫臺上縱意白雲邊徒然嗟小藥何以齊大年

營涅槃懺 并序　陳江總

禎明二年仲冬攝山棲霞寺布法師倏爾待終余以此月十七日宿昔入山仰爲師氏營涅槃懺還途有此作

可否同一貫生死亦一條況期滅盡者豈是俗中要大道離羣愴冥期出世遙留連入澗曲宿昔涉巖椒石溜冰便斷松霜日自銷向崖雲靉靆出谷霧飄飄勿言無大隱歸

來卽市朝

入攝山棲霞寺 并序　陳江總

壬寅年十月十八日入攝山棲霞寺登岸極峭頗暢懷抱至德元年癸卯十月二十六日又再遊此寺布法師施菩薩戒甲辰年十月二十五日奉送金像還山限以時務不得恣情淹留乙巳年十一月十六日更獲拜禮仍停山中宿永夜留連棲神悚聽但交臂不停薪指俄謝率製此篇以記即目俾後來賞者

知余山志

淨心抱冰雪暮齒逼桑榆太息波川迅悲哉人世拘歲華皆採穫冬晩共嚴枯濯流濟八水開襟入四衢茲山靈妙合當與天地俱石瀨乍深淺崖烟遞有無缺碑横古隧盤木臥荒塗行行備履歷步步轔威紆高僧迹共遠勝地心

相符樵隱各有得丹青獨不渝寺舊有朗詮二師居士明僧紹治中蕭贊塑像圖
遺風佇芳桂比德喻生芻寄言長往客慨然傷鄙夫

棲霞山房夜坐簡徐祭酒周尚書　陳江總

澡身事珠戒非是學金丹月磴時横杭雲崖宿解鞍梵宇
調心易禪庭數息難石澗水流靜山牕葉去寒君思北闕
駕我惜東都冠翻愁夜鐘盡同志不盤桓

仰同令君棲霞寺山房夜坐　陳徐孝克

戒壇青石路靈相紫金峰影進皈依鴿餐迎守護龍晨朝
宣寶偈寒夜歛疎鐘雞蘭靜含握仁智獨從容五禪清慮
表七覺蕩心封願言於此處携手屢相逢

仰和江令君　　陳徐孝克

上宰明四空廻車八道中洞涼容麥氣巖光對月宮香來詎經火花散不隨風澗松無異聒禪桂兩分叢虛薄誠爲累何因偶會同暫此乖山北猶可向牆東

送陸鴻漸棲霞寺採茶　　唐皇甫冉

採茶非採菉遠遠上層崖布葉春風暖盈筐白日斜舊知山寺路時宿野人家借問王孫草何時泛椀花

送陸鴻漸採茶相過　　唐皇甫冉

千峰待逋客香茗復叢生採摘知深處烟霞羨獨行幽期山寺遠野飯石泉清寂寂然燈夜相思一磬聲

攝山　唐顧况

明徵君舊宅陳後主題詩跡在人亡處山空月滿時寶瓶無破響道樹有低枝已是傷離客仍逢靳尚祠

棲霞寺　唐顧况

棲霞山中子規鳥口邊出血啼不了山僧後夜初入定聞似不聞山月曉

登棲霞寺峰懷望　唐李緒

香印烟火息法堂鐘磬餘紗鐙照晨畑釋子安禪居林葉脫紅影竹烟含綠濡跡星珠錯落耀月宇參差顧眺匪恣適曠襟懷卷舒江海渺清蕩丘陵何所如滔滔可問津耕

者非長沮芋嶺感仙客蕭園承古墟移步下碧峰涉澗更躊躇鳥噪啄秋果翠驚啣素魚回塘來綵鷁落景標林巷瀁瀁棹翻月蕭蕭風襲裾勞歌起舊思感歎竟誰攄却數共遊者凋落非里閭

送族弟單文主簿凝攝宋城主簿至郭南月橋却迴棲霞山贈之　唐李白

吾家青萍劍操割有餘閑注來糾二邑此去何時還鞍馬月橋南光輝歧路間賢豪相追餞却到棲霞山羣花散芳園斗酒開離顏樂酣相顧起征馬無由攀

題棲霞寺　唐綦毋潛

南山勢迴合靈境依此住殿轉雲崖陰僧探石泉度龍蛇
爭翕習神意皆密護萬壑奔道場羣峰向雙樹天花飛不
着水月白成路今日觀身我歸心復何處

棲霞寺東峰尋明徵君故居　唐劉長卿

山人今不見山鳥自相從長嘯辭明主終身臥此峰泉源
通石逕澗戶掩塵容古墓依寒草前朝寄老松片雲生斷
壁萬壑遍疎鐘惆悵空歸去猶疑林下逢

登棲霞寺　唐常袞

林香雨氣新山寺綠無塵遂結雲外侶共遊天上春鶴鳴
金闕麗僧語竹房鄰待月川流急惜花風起頻何方非懷

境此地有歸人回首空門外皤然一幻身

攝山　唐權德輿

攝山標勝紀暇日諧想矚縈廻松路深繚遶雲岩曲重樓回樹杪古像作山腹人遠水木清地幽蘭桂馥層臺聳金碧絕頂摩淨綠下界誠可悲南朝紛在目焚香入古殿待月出深竹稍覺天籟寂自傷人事促宗雷此相遇偃仰隨所欲清論月輪低閑吟茗花熟一生如土梗萬慮皆桎梏永願事潛師窮年此棲宿

與沈拾遺宿亮上人僧舍　唐權德輿

偶來人境外心賞幸隨君古殿烟霞夕深山松桂薰巖花

點寒溜石磴掃春雲清淨諸天近喧塵下界分名僧康寶
月上客沈休文共宿東林夜清猿徹曙聞

棲霞寺慶法師山房　唐李頻

居與鳥巢鄰日將巢鳥親多生從此住久集得無身樹老
風終夜山寒雪見春不知諸祖後傳印與何人

登棲霞寺　唐皮日休

不見明居士空山且寂寥白蓮吟次缺香靄坐來消泉冷
無三伏松枯有六朝何時石上月相對論逍遙

棲霞寺夜坐　唐僧靈一

山頭戒險路幽映雲巖側四面青石林一峰苔蘚色松風

静復起月影開還黑何猷乗夜來殊非晝所得

登棲霞寺　唐蔣渙

三休尋磴道九杪步雲霓蹔澗臨江北郊原極海西沙平

瓜步出樹遠綠楊低南指晴天外青峰是會稽

遊棲霞寺　唐張暈

躋險入幽深翠微含竹殿泉聲無休歇山色時隱見潮來

雜風雨梅花成霜霰一從方外遊頓覺塵心變

遊棲霞寺　南唐李建勲

養花天氣近平分瘦馬來敲白下門時色未開山意遠春

容猶淡月華昏琅琊冷落存遺跡籬落稀疎帯舊村此地

幾經人聚散只今王謝獨名存

棲霞寺贈月公　　南唐周繇

明家不要買山錢施作清池種白蓮松檜老依雲外地樓臺深鎖洞中天風經絶頂迴疎雨石倚危屛掛落泉欲結茅菴伴師住肯饒多少薛蘿烟

題棲霞山房　　宋王隨

虛牕殘燭明欹枕旅懷清永夜起松籟滿山疑雨聲吟餘閑景象道勝小榮名鐘罷星河曙悠悠廻旆旌

天開巖　　宋王隨

棲霞山後峰天開一巖秀中有坐禪人形容竹栢瘦饑飡

巖下松渴飲巖上溜愛步巘室前白雲起孤岫

題攝山舍利塔　　明王世貞

昔我問阿育驅神作道場如何震旦國重見鐵輪王變幻從僧語依微盡佛光那堪事勢盡千古但蒼凉

千佛巖　　明王世貞

仲璋感先志諸王貪夙因雕鎪慚伎倆刊削減嶙峋千佛本非佛一身猶幻身雲門拈出後黄面少精神

登攝山絶頂　　明葉向高

探奇直上最高峰仄逕懸崖信短笻萬壑松篁靈虎豹半江風雨挾蛟龍蒼茫不辨前朝寺縹緲時聞下界鐘莫識

浮生無住着蒲團相對坐從容

遊棲霞三首　　明董應舉

入山不必深清淨不必禪但得時休沐胸中無掛纏出郊信獨往遇物無不鮮春風翼新麥翠浪生平田川原互藹藹我行亦翩翩翩翩不覺遠遂至攝山前谷口暗柳葉東峰抽瞑烟僧定人已寂欲借片雲眠　一

一春不自得結念兹山遊偶爾乘吾暇不及呼朋儔行隨日色遠食借僧厨幽梵響起夕磬轉覺身世浮自昔明徵君抗志在兹丘生前寶高尚死後空名留何况去來跡倏如水上漚聚散非一處淼淼無停流山川豈有待神理自相求暫寄亦不惡

久住亦不優朝霞朝已代夕靄夕還收且問前時菊今日還在不物化已如此主者爲誰謀 二

曉鐘罷清夢靈境淡營慮攬衣欲登山林外有人語遲之携手行望望烟霞去咲飲白鹿泉拄頰雲生處石骨欲上天半爲佛所據鷲嶺如在茲短笻聊可御巇嶫走鋒稜飄翩同鶴翥望中一點白江上千帆曙溪谷合沓廻風嵐互吞茹奇變盪人心一行一佇步不知古來人多少同斯趣 三

棲霞寺二首　　明曹學佺

雙林初剏跡六代自垂名古塔無全影踈鐘尚舊聲佛頻掘地得僧偶卓泉生漫復追興廢忘言在化城　不意窮

登嶺翻能遠，矚江金焦徽露影，吳楚屢分邦，日落波心鏡，風吹邑際艭，平生懷跌宕，揮手信難降。二

再集攝山方丈　明郭第

平生懷異草，幾度攝山行，今日相逢處，長林共聽鶯，茶入雲冷白鹿，引泉清一片，徵君石能留出世名

小刹衡陽寺　古刹　係棲霞寺下院

在郭城外東城地清風鄉，離太平門三十里，即所領棲霞寺下院，去寺五里

殿堂　山門壹座　天王殿叁楹　正佛殿叁楹　僧院壹房

山水　衡陽山

金陵梵刹志　大靈谷寺所統　四卷　七十一